# a v a n t - p r o p o s

**Reportage 2** s'adresse aux élèves de russe 1re, 2e et 3e langue qui possèdent les acquis linguistiques correspondant au livre 1. Le programme de Première LV 3 a été privilégié dans la conception de la progression grammaticale et lexicale.

Le manuel est conçu selon les mêmes principes que **Reportage 1**. Sa progression est rigoureusement graduée, en particulier dans le domaine morphosyntaxique. Les activités orales occupent une place essentielle.

L'entraînement à la compréhension écrite et le développement de la compétence culturelle occupent une place plus importante que dans le livre 1. À travers l'histoire d'Anna, et les documents authentiques proposés, les élèves pourront acquérir quelques grands repères de civilisation (joug tatare, servage, Pierre le réformateur, transformations révolutionnaires, poésie et littérature…). Les Russes d'aujourd'hui sont également présents tout au long du livre dans leurs activités quotidiennes.

Chacune des **14 leçons** comporte **8 pages** et est organisée autour d'un thème.
- La première page (**partie A**) introduit au thème, favorise l'expression orale spontanée des élèves et permet de leur faire rebrasser les acquis (suggestions d'utilisation sur le site des Éditions Belin).
- La deuxième page et la cinquième (**parties Б et Г**) sont consacrées à l'histoire des personnages du manuel, sous la forme de dialogues ou de courts récits.
- La troisième page et la quatrième (**partie В, РОССИЯ ВЧЕРА И СЕГОДНЯ**) permettent aux élèves de découvrir des documents authentiques ou adaptés : biographies, interviews, textes historiques, tableaux… Les documents sont courts : nous les avons voulus attrayants et accessibles à tous.

Les pages Б, В et Г comportent des activités orales : **ВОПРОСЫ И ЗАДАНИЯ** est une activité de compréhension ; **ПРАКТИКА** regroupe les activités guidées facilitant l'appropriation des structures et du lexique ; **О себе** invite les élèves à relater leurs expériences et à exprimer leurs points de vue.
- La sixième page (**partie Д**) est composée de deux rubriques.
  – **ГДЕ? КУДА? ОТКУДА?** a été conçue pour aider à la mémorisation des verbes de déplacement.
  – **СЛОВАРЬ ЛЕГКО И ПРОСТО** propose un travail systématique sur le lexique qui devrait permettre aux élèves d'organiser leurs connaissances et d'aborder plus facilement la lecture de textes nouveaux.
- La septième page (**partie Е, ДАВАЙТЕ**) présente des situations de communication de la vie quotidienne. Les élèves pourront y apprendre des expressions et des tournures courantes et s'essayer eux-mêmes à composer des dialogues à partir des modèles qui leur sont proposés.
- La huitième page (**partie Ж, СТРАНА И ЛЮДИ**) propose une activité récréative à partir de photos illustrant un des thèmes de civilisation du chapitre.

À ces 14 leçons sont associés **14 leçons de grammaire, un mémento grammatical et un lexique complet. Une lecture suivie** est proposée en fin d'ouvrage (version adaptée et annotée de la nouvelle de **Карен Шахназаров**, *Курьер*).

Le manuel est indissociable du **cahier d'activités**. C'est là que sont regroupées les activités écrites, qu'elles soient à réaliser en classe ou à la maison. Les grilles de compréhension orales concernent les parties В et Г. Dans le manuel, le signe ❯❯ indique le découpage des textes en parties.

Sur les **CD** d'accompagnement (ou les cassettes) sont enregistrés les dialogues ou les textes du manuel ainsi que des exercices complémentaires de compréhension orale.

Les auteurs

# table des matières

clés du manuel                                      12

---

**Урок 1**

А  *ТРАНССИБ*                                        14
Б  **СЮРПРИЗ**                                       15
В  РОССИЯ ВЧЕРА И СЕГОДНЯ
   **ТРАНССИБИРСКИЙ ЭКСПРЕСС «РОССИЯ»**              16
   **СКОЛЬКО ВРЕМЕНИ? РАСПИСАНИЕ ПОЕЗДА**            17
Г  **В ПОЕЗДЕ**                                      18
Д  ГДЕ? КУДА? ОТКУДА? • СЛОВАРЬ ЛЕГКО И ПРОСТО       19
Е  ДАВАЙТЕ познакóмимся!                             20
Ж  СТРАНА И ЛЮДИ Незабывáемое путешéствие на БАЙКАЛ  21

---

**Урок 2**

А  *СТУДЕНЧЕСКОЕ ОБЩЕЖИТИЕ*                          22
Б  **МАКСИМ ЖИВЁТ В ДВУХ ШАГАХ ОТ КРЕМЛЯ**           23
В  РОССИЯ ВЧЕРА И СЕГОДНЯ
   **ЧТО ТАКОЕ, ПО-ВАШЕМУ, ИДЕАЛЬНАЯ ШКОЛА?**        24
   **КРУЖКИ И СПОРТИВНЫЕ СЕКЦИИ ШКОЛЫ № 436**         25
Г  **КТО ЧЕМ УВЛЕКАЕТСЯ?**                           26
Д  ГДЕ? КУДА? ОТКУДА? • СЛОВАРЬ ЛЕГКО И ПРОСТО       27
Е  ДАВАЙТЕ поговорим о школе!                        28
Ж  СТРАНА И ЛЮДИ Наша школа супер!                   29

---

**Урок 3**

А  *НОВОСЕЛЬЕ*                                        30
Б  **В ГОСТЯХ У МАКСИМА**                             31
В  РОССИЯ ВЧЕРА И СЕГОДНЯ
   **ПРОФЕССИЯ – ПОЧТАЛЬОН**                          32
   **НИКОЛЬСКАЯ УЛИЦА**                               33
Г  **МАКСИМ ПИШЕТ ПЛЕМЯННИКУ**                        34
Д  ГДЕ? КУДА? ОТКУДА? • СЛОВАРЬ ЛЕГКО И ПРОСТО        35
Е  ДАВАЙТЕ напишем письмо!                            36
Ж  СТРАНА И ЛЮДИ Московский Кремль                    37

| activités de communication | notions grammaticales et phonologiques | faits de civilisation |
|---|---|---|
| Se présenter.<br>Faire des présentations. | Le nominatif pluriel des noms masculins en /a/.<br>Le génitif pluriel des noms.<br>Le génitif pluriel des pronoms-adjectifs possessifs.<br>Le génitif pluriel du pronom-adjectif démonstratif **этот**.<br>Le génitif pluriel de l'adjectif en base dure.<br>La voyelle mobile.<br>La syntaxe des numéraux.<br>L'expression de l'heure.<br>Le nom attribut du sujet.<br>Le pronom réciproque **друг друга**.<br>Les verbes de déplacement préverbés. | Le Transsibérien |
| Parler de l'école,<br>de ses occupations,<br>goûts et loisirs. | Le datif, l'instrumental et le locatif pluriel des noms.<br>Le datif, l'instrumental et le locatif pluriel des pronoms-adjectifs possessifs.<br>Le datif, l'instrumental et le locatif pluriel du démonstratif **этот**.<br>Le datif, l'instrumental et le locatif pluriel des adjectifs en base dure.<br>L'expression de la possession au passé.<br>Les propositions impersonnelles avec prédicat verbal. | L'école russe: matières scolaires et activités récréatives |
| Écrire une lettre. | La déclinaison de **люди** et **дети**.<br>Le pronom **себя**.<br>L'expression de la durée projetée. | Le Kremlin de Moscou |

**Урок 4**

| | | |
|---|---|---|
| А | *РОМАНОВЫ* | 38 |
| Б | ДОМ НА НИКОЛЬСКОЙ УЛИЦЕ | 39 |
| В | РОССИЯ ВЧЕРА И СЕГОДНЯ | |
| | КОММУНАЛЬНАЯ КВАРТИРА | 40 |
| | ОДНА КУХНЯ НА ВСЕХ | 41 |
| Г | «МОСКВА-СИТИ» | 42 |
| Д | ГДЕ? КУДА? ОТКУДА? • СЛОВАРЬ ЛЕГКО И ПРОСТО | 43 |
| Е | ДАВАЙТЕ поговорим! | 44 |
| Ж | СТРАНА И ЛЮДИ Москва-сити – проект будущего | 45 |

**Урок 5**

| | | |
|---|---|---|
| А | *КАЗАНЬ ВЧЕРА И СЕГОДНЯ* | 46 |
| Б | СКОРО РЕБЯТА ПОЕДУТ В ТАТАРСТАН | 47 |
| В | РОССИЯ ВЧЕРА И СЕГОДНЯ | |
| | КУСКОВО – ИМЕНИЕ ШЕРЕМЕТЕВЫХ | 48 |
| | КРЕПОСТНОЕ ПРАВО | 49 |
| Г | ПОЛУЧИЛ ЛИ ОН БАЛЬНУЮ КНИЖКУ? | 50 |
| Д | ГДЕ? КУДА? ОТКУДА? • СЛОВАРЬ ЛЕГКО И ПРОСТО | 51 |
| Е | ДАВАЙТЕ поговорим о жизни людей! | 52 |
| Ж | СТРАНА И ЛЮДИ Крестьяне и дворяне | 53 |

**Урок 6**

| | | |
|---|---|---|
| А | *ОДИН ДЕНЬ В ОБЩЕЖИТИИ* | 54 |
| Б | ПОХОД НА ОЗЕРО СЕНЕЖ | 55 |
| В | РОССИЯ ВЧЕРА И СЕГОДНЯ | |
| | КАКОЙ ОТДЫХ ЛЮБИТ МОЛОДЁЖЬ? | 56 |
| | СТУДЕНЧЕСКИЙ ФОРУМ ФИЗФАКА МГУ | 57 |
| Г | НА БЕРЕГУ ОЗЕРА | 58 |
| Д | ГДЕ? КУДА? ОТКУДА? • СЛОВАРЬ ЛЕГКО И ПРОСТО | 59 |
| Е | ДАВАЙТЕ поговорим! | 60 |
| Ж | СТРАНА И ЛЮДИ Московский Государственный Университет (МГУ) | 61 |

**Урок 7**

| | | |
|---|---|---|
| А | *ПЕТЕРБУРГ* | 62 |
| Б | ДАША БЕЛЬСКАЯ | 63 |
| В | РОССИЯ ВЧЕРА И СЕГОДНЯ | |
| | ПЁТР I ВЕЛИКИЙ (1672-1725) | 64 |
| | ПУТЕШЕСТВИЯ ПЕТРА | 65 |
| Г | С ДНЁМ РОЖДЕНИЯ! | 66 |
| Д | ГДЕ? КУДА? ОТКУДА? • СЛОВАРЬ ЛЕГКО И ПРОСТО | 67 |
| Е | ДАВАЙТЕ поздравим друг друга! | 68 |
| Ж | СТРАНА И ЛЮДИ Пётр Великий | 69 |

| activités de communication | notions grammaticales et phonologiques | faits de civilisation |
|---|---|---|
| Se repérer dans le temps. Parler de ses projets. | Déclinaison des noms à base en /j/. L'expression de la date : l'année et le mois. L'accord du verbe avec un numéral ou un adverbe de quantité. Le futur du verbe **быть**. Le futur. | Les appartements communautaires, l'émigration après la Révolution, Moscou-City |
| Raconter une histoire. Mener un récit. | La 3e déclinaison des noms. Le complément de durée. Le pronom-adjectif **один, одна, одно, одни**. L'adjectif attribut du sujet. L'interrogation directe. L'interrogation indirecte. L'aspect après les verbes de phase. | La Russie des nobles et des serfs |
| Exprimer ses goûts, ses préférences. Faire une proposition, exprimer son accord ou son désaccord. | Les noms masculins : pluriels irréguliers en N /j/+/a/, G / j/ + /ov/ (**-ья, -ей**). Les noms masculins. Le génitif en /u/ (**-у/ю**). Le pronom-adjectif **весь**. L'expression de la date (suite). La forme courte de l'adjectif. | Loisirs et centres d'intérêts des jeunes Russes |
| Souhaiter (une fête, un anniversaire…). Saluer et prendre congé. | Les noms masculins : pluriels irréguliers en N /j/ + /a/, G / j/ + /ov/ (**-ья, -ев**). Les adjectifs en base molle. Le pronom relatif **который**. L'attribut avec le verbe *être* au futur. La concordance des temps dans les subordonnées complétives. La construction des verbes de perception. | Pierre le Grand |

## Урок 8

| | | |
|---|---|---|
| А | *ЧЕЛОВЕК И ЕГО ТЕЛО* | 70 |
| Б | САМЫЙ ПЕРСПЕКТИВНЫЙ РОССИЙСКИЙ ДИЗАЙНЕР | 71 |
| В | РОССИЯ ВЧЕРА И СЕГОДНЯ | |
| | КТО ИЗВЕСТНЕЕ? | 72 |
| | КАК ОНИ ОДЕТЫ? | 73 |
| Г | КАКИЕ ДЖИНСЫ КРАСИВЕЕ? | 74 |
| Д | ГДЕ? КУДА? ОТКУДА? • СЛОВАРЬ ЛЕГКО И ПРОСТО | 75 |
| Е | ДАВАЙТЕ поговорим о одежде! | 76 |
| Ж | СТРАНА И ЛЮДИ Магазины, магазины... | 77 |

## Урок 9

| | | |
|---|---|---|
| А | *РУССКАЯ ЗИМА* | 78 |
| Б | ОТКРЫТИЕ КУЛЬТУРНОГО ЦЕНТРА «ОТРАДНОЕ» | 79 |
| В | РОССИЯ ВЧЕРА И СЕГОДНЯ | |
| | АЛЕКСАНДР СЕРГЕЕВИЧ ПУШКИН | 80 |
| | БИОГРАФИЯ ПУШКИНА (продолже́ние) | 81 |
| Г | ПОРТРЕТ | 82 |
| Д | ГДЕ? КУДА? ОТКУДА? • СЛОВАРЬ ЛЕГКО И ПРОСТО | 83 |
| Е | ДАВАЙТЕ поиграем! | 84 |
| Ж | СТРАНА И ЛЮДИ Стихи и пейзажи | 85 |

## Урок 10

| | | |
|---|---|---|
| А | *ПРОГУЛКА* | 86 |
| Б | ПОРТРЕТ (ПРОДОЛЖЕНИЕ) | 87 |
| В | РОССИЯ ВЧЕРА И СЕГОДНЯ | |
| | РУССКАЯ РЕВОЛЮЦИЯ И АВАНГАРД В ИСКУССТВЕ | 88 |
| | НОВАЯ ЖИЗНЬ – НОВЫЙ ЧЕЛОВЕК | 89 |
| Г | ПОРТРЕТ (ПРОДОЛЖЕНИЕ) | 90 |
| Д | ГДЕ? КУДА? ОТКУДА? • СЛОВАРЬ ЛЕГКО И ПРОСТО | 91 |
| Е | ДАВАЙТЕ поговорим о картинах, фотографиях, рисунках! | 92 |
| Ж | СТРАНА И ЛЮДИ Архитектура Москвы | 93 |

## Урок 11

| | | |
|---|---|---|
| А | *РЕСПУБЛИКА ТАТАРСТАН* | 94 |
| Б | В КАЗАНСКОМ КАФЕ | 95 |
| В | РОССИЯ ВЧЕРА И СЕГОДНЯ | |
| | ОТ КАЗАНСКОГО ХАНСТВА ... | 96 |
| | ... ДО НАШИХ ДНЕЙ | 97 |
| Г | КСЕНИЯ ВЕРИТ В ПРИМЕТЫ | 98 |
| Д | ГДЕ? КУДА? ОТКУДА? • СЛОВАРЬ ЛЕГКО И ПРОСТО | 99 |
| Е | ДАВАЙТЕ пойдём в кафе́, в магази́н! | 100 |
| Ж | СТРАНА И ЛЮДИ Русские приметы | 101 |

| activités de communication | notions grammaticales et phonologiques | faits de civilisation |
|---|---|---|
| Décrire quelqu'un, dire quels sont ses vêtements. Faire des achats. | Le superlatif. Le comparatif de supériorité suffixal. | Les magasins |
| Comparer. | Les comparatifs de supériorité et d'infériorité composés. Le comparatif d'égalité. Les constructions des verbes de souhait et d'ordre. Les verbes de 3e classe. | Pouchkine |
| Décrire un tableau, une photo... | La déclinaison des neutres en –мя. Le pronom сам. L'expression de la condition. La particule бы et l'expression atténuée. | Les années 20 en Russie : art et vie nouvelle |
| Commander dans un café ou dans un restaurant. Exprimer un malaise physique. Demander un médicament. | L'attribut du complément d'objet. L'expression du but. La proposition subordonnée de conséquence. La proposition subordonnée de concession. | Croyances populaires : le langage des signes |

**Урок 12**

| | | |
|---|---|---|
| А | *КАКИЕ ЧУВСТВА ОНИ ИСПЫТЫВАЮТ?* | 102 |
| Б | УДИВИТЕЛЬНАЯ ПОКУПКА | 103 |
| В | РОССИЯ ВЧЕРА И СЕГОДНЯ | |
| | КТО БЕДЕН В РОССИИ? | 104 |
| | РОССИЙСКОЕ ОБЩЕСТВО В КАРИКАТУРАХ | 105 |
| Г | ЧТО НУЖНО ВЛАДИСЛАВУ? | 106 |
| Д | ГДЕ? КУДА? ОТКУДА? • СЛОВАРЬ ЛЕГКО И ПРОСТО | 107 |
| Е | ДАВАЙТЕ поспорим! | 108 |
| Ж | СТРАНА И ЛЮДИ Один день в городе | 109 |

**Урок 13**

| | | |
|---|---|---|
| А | *МОСКОВСКОЕ МЕТРО* | 110 |
| Б | КТО-НИБУДЬ ВИДЕЛ АННУ? | 111 |
| В | РОССИЯ ВЧЕРА И СЕГОДНЯ | |
| | «В СТАЛИНЕ ВСЁ – ОТ ДЬЯВОЛА» | 112 |
| | (ДВЕ ЧАСТИ) | 113 |
| Г | ДВОРЦЫ ДЛЯ НАРОДА | 114 |
| Д | ГДЕ? КУДА? ОТКУДА? • СЛОВАРЬ ЛЕГКО И ПРОСТО | 115 |
| Е | ДАВАЙТЕ поговорим о транспорте! | 116 |
| Ж | СТРАНА И ЛЮДИ Музеон | 117 |

**Урок 14**

| | | |
|---|---|---|
| А | *СНГ* | 118 |
| Б | КИЕВ– МАТЬ ГОРОДОВ РУССКИХ | 119 |
| В | РОССИЯ ВЧЕРА И СЕГОДНЯ | |
| | ТАИНСТВЕННЫЙ КРЫМ | 120 |
| | (ДВЕ ЧАСТИ) | 121 |
| Г | ДЕВУШКА В БЕЛОМ | 122 |
| Д | ГДЕ? КУДА? ОТКУДА? • СЛОВАРЬ ЛЕГКО И ПРОСТО | 123 |
| Е | ДАВАЙТЕ поговорим о прочитанном тексте! | 124 |
| Ж | СТРАНА И ЛЮДИ Портреты | 125 |

| | |
|---|---|
| grammaire | 126 |
| mémento grammatical | 143 |
| index des notions grammaticales | 152 |
| abréviations du manuel | 154 |
| lexique | 155 |
| lecture suivie | 170 |

| activités de communication | notions grammaticales et phonologiques | faits de civilisation |
|---|---|---|
| Débattre, exprimer des avis contradictoires. | La déclinaison des numéraux cardinaux. L'expression de l'ordre et du souhait. La formation des couples verbaux. | Un jour en ville |
| Parler au téléphone. Demander comment se rendre quelque part en métro, en autobus… | Les pronoms, adverbes et adjectifs indéfinis. Le renforcement du comparatif. L'expression du temps. | Le stalinisme |
| Parler d'un texte littéraire. | La déclinaison des noms de famille. Les noms мать et дочь. Les pronoms et adverbes négatifs. | La CEI L'Ukraine : Kiev et la Crimée |

# clés du manuel

(suggestions d'utilisation sur le site Internet de Belin)

## Page A
Une ou plusieurs images destinées à favoriser
l'expression orale et la réutilisation des acquis.

## Page Б
Dialogue ou court récit
sur l'histoire des personnages du manuel.

### ВОПРОСЫ И ЗАДАНИЯ
Activité de compréhension
sur le texte ou sur l'image.

### ПРАКТИКА
Activités guidées facilitant
l'appropriation des structures
grammaticales et du lexique.

### О себе
Activité invitant les élèves
à relater leurs expériences
et à exprimer leurs points de vue.

## Double page B

### РОССИЯ ВЧЕРА
### И СЕГОДНЯ
Documents variés
pour découvrir
la culture russe :
biographies, interviews,
textes divers,
tableaux...

# РЕПОРТАЖ

**Page Г**
Dialogue ou court récit :
suite de l'histoire des personnages.

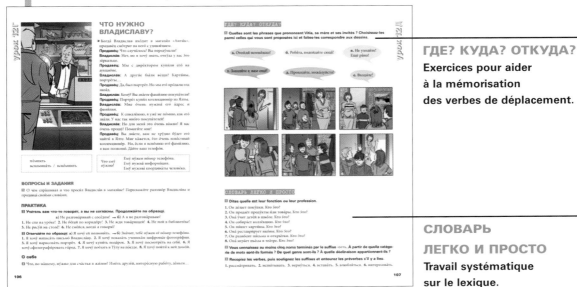

## ГДЕ? КУДА? ОТКУДА?
Exercices pour aider
à la mémorisation
des verbes de déplacement.

## СЛОВАРЬ
## ЛЕГКО И ПРОСТО
Travail systématique
sur le lexique.

## БАНК СЛОВ
Expressions
et tournures courantes
de la vie quotidienne.

## ДИАЛОГИ
Modèles de dialogues
pour l'entraînement
à la conversation.

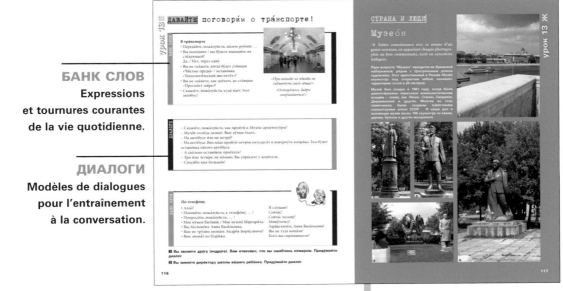

## СТРАНА И ЛЮДИ
Documents et activité récréative
pour découvrir la civilisation
russe.

# Урок 1А
## ТРАНССИБ

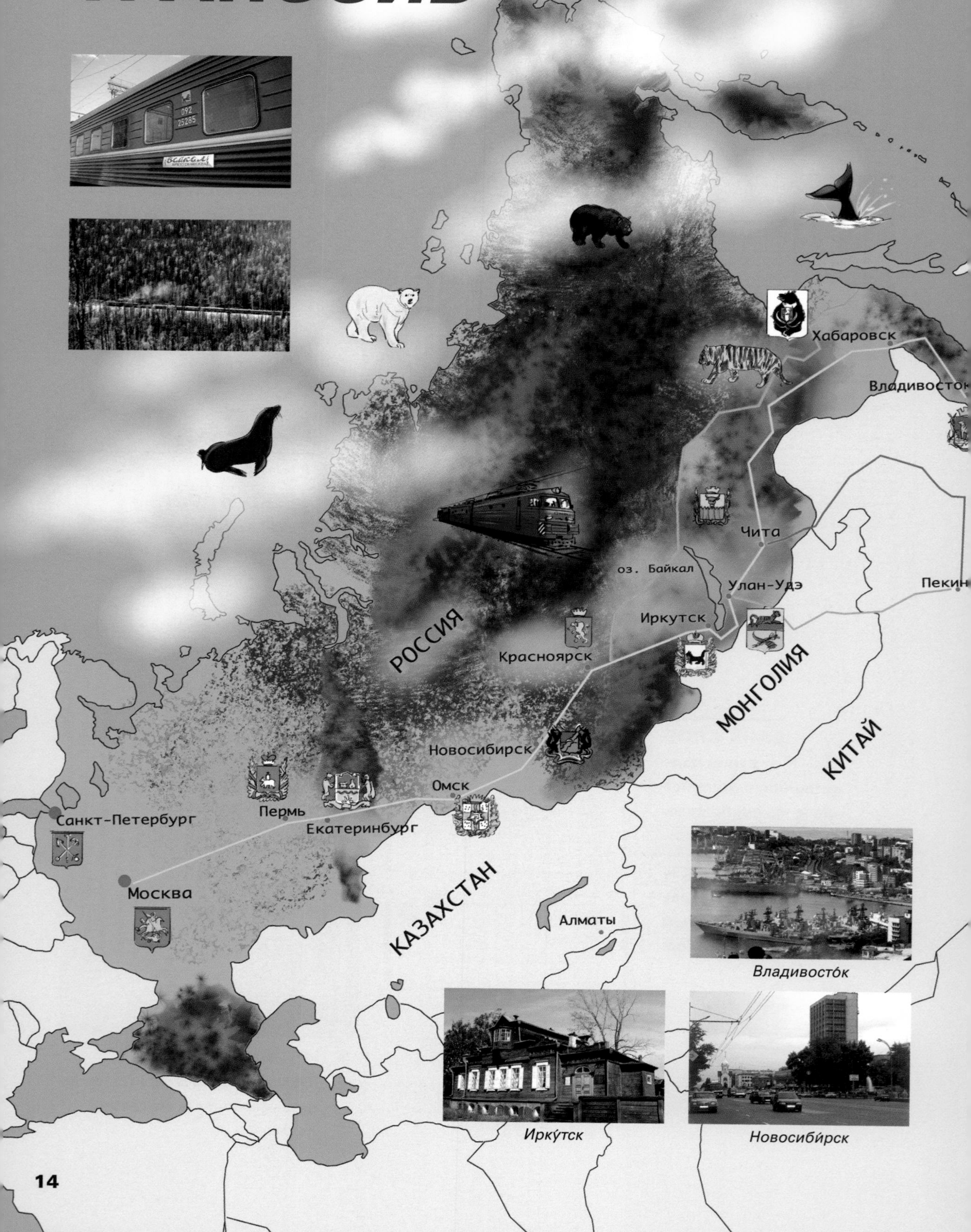

Хабаровск

Владивосток

Чита

оз. Байкал

Улан-Удэ

Пекин

Иркутск

РОССИЯ

Красноярск

МОНГОЛИЯ

КИТАЙ

Новосибирск

Омск

Санкт-Петербург

Пермь

Екатеринбург

КАЗАХСТАН

Москва

Алматы

Владивосток

Иркутск

Новосибирск

# СЮРПРИЗ

➤ До свида́ния, Кострома́! Макси́м тепе́рь живёт в столи́це. Он рабо́тает в моско́вском журна́ле «Вре́мя». Сего́дня у́тром, когда́ он пришёл в реда́кцию, его́ ждала́ секрета́рша Алёна.

**Алёна:** Макс, для тебя́ сюрпри́з! От твоего́ ше́фа...

**Макси́м:** Что э́то мо́жет быть? Биле́т на матч Че́лси – Спарта́к?

**Алёна:** Да, биле́т... Но не на футбо́л, а на по́езд.

**Макси́м:** На по́езд? На како́й по́езд?

**Алёна:** Е́дешь во Владивосто́к с францу́зским журнали́стом-фото́графом. Вы вме́сте де́лаете репорта́ж о по́езде «Транссиби́рский экспре́сс».

**Макси́м:** Но я не говорю́ по-францу́зски! А где шеф?

**Алёна:** Шеф ушёл на пресс-конфере́нцию. А францу́з говори́т по-ру́сски. Так что счастли́вого пути́[1]! Сиби́рь тебя́ ждёт.

1. Счастли́вого пути́: bon voyage.

---

**Куда́** пришёл Макси́м? Он пришёл **в** реда́кцию.
**Отку́да** он ушёл? Он ушёл **из** реда́кции.

---

приходи́ть ≠ уходи́ть        прийти́ ≠ уйти́

---

## ВОПРОСЫ И ЗАДАНИЯ

**1 Продолжа́йте переска́з те́кста.**

Сейча́с Макси́м нахо́дится в реда́кции … . Он разгова́ривает с … . Она́ ему́ … .

## ПРАКТИКА

**2 Опиши́те карти́нки.** Приходи́ть и́ли уходи́ть? Прийти́ и́ли уйти́?

**3 Дополня́йте фра́зы.**

– Алло́! Здра́вствуйте! Анна до́ма?
– Нет, её нет, она́ … .

– Ми́тя, к тебе́ … Юра.
– Где он?
– Он тебя́ ждёт на балко́не.

**4 Вы пло́хо слы́шали фра́зу. Вы переспра́шиваете.**  а) Макси́м рабо́тает с **Алёной**.
                                                    ⟶ б) С кем он рабо́тает?

1. Он ду́мает о **репорта́же**. 2. Он позвони́л **своему́ дру́гу**. 3. Вчера́ он был у **Ли́ды**. 4. Он ча́сто говори́т о **Ли́де**. 5. Он спра́шивает **Алёну**. 6. Он пошёл к **сестре́**. 7. Он е́дет в Ирку́тск на по́езде.

# урок 1В

## ТРАНССИБИРСКИЙ ЭКСПРЕСС «РОССИЯ»

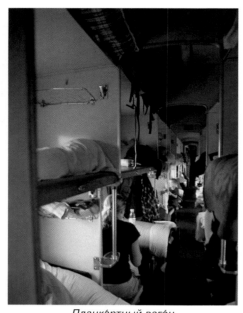

По́езд №2 идёт из Москвы́ во Владивосто́к.
В по́езде есть 4 кла́сса ваго́нов: сидя́чий, плацка́ртный, купе́йный и спа́льный.
В купе́ спа́льного ваго́на 2 ме́ста, а в купе́йном
5 4 ме́ста.
В плацка́ртном ваго́не нет купе́ и всегда́ мно́го пассажи́ров: ведь в тако́м ваго́не 60 мест!
В ка́ждом по́езде 17 ваго́нов и 600 пассажи́ров.
Длина́ по́езда: 500 ме́тров!
10 В по́езде есть ваго́н-рестора́н. Есть то́же парикма́хер, медсестра́...

*Плацка́ртный ваго́н*

| | | | | | | | | |
|---|---|---|---|---|---|---|---|---|
| | | ско́лько? | | мно́го ≠ ма́ло | | | | |

| 1 | оди́н билет<br>одна́ ка́рта / по́лка<br>одно́ ме́сто / окно́ | 2 | два<br>две<br>два | биле́та<br>ка́рты / по́лки<br>ме́ста / о́кна | 5 пять<br>6 шесть<br>7, 8... | билетов<br>карт / по́лок<br>мест / о́кон |
|---|---|---|---|---|---|---|
| | | 3<br>4 | три<br>четы́ре | биле́та<br>ка́рты | | |

| 100 | 200 | 300 | 400 | 500 | 600 | 700 | 800 | 900 | 1000 |
|---|---|---|---|---|---|---|---|---|---|
| сто | две́сти | три́ста | четы́реста | пятьсо́т | шестьсо́т | семьсо́т | восемьсо́т | девятьсо́т | ты́сяча |

## ВОПРОСЫ И ЗАДАНИЯ

**1** Посмотри́те на фотогра́фию и скажи́те, что вы ви́дите. В како́м ваго́не сидя́т пассажи́ры?

## ПРАКТИКА

**2 Составля́йте диало́ги по образцу́:** а)  → б) – Ско́лько на карти́нке биле́тов?
– На карти́нке три биле́та.

## О себе

**3 Опиши́те ваш класс.**

Ско́лько ученико́в? Ско́лько ма́льчиков и ско́лько де́вочек? Ско́лько столо́в? Ско́лько ламп? Ско́лько о́кон? Ско́лько до́сок?

# СКОЛЬКО ВРЕМЕНИ?

| Ско́лько вре́мени? | | | Во ско́лько? | | |
|---|---|---|---|---|---|
|  |  | 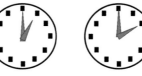 | | |  |
| • Два часа́ | • Пять часо́в | • Семна́дцать (часо́в) три́дцать (мину́т) | • В час | • В два часа́ | • В пятна́дцать (часо́в) со́рок (мину́т) |
| • Четы́рнадцать часо́в | • Семна́дцать часо́в | | • В трина́дцать часо́в | • В четы́рнадцать часо́в | |

## РАСПИСАНИЕ ПОЕЗДА

| Название станции | Время приб. | Стоянка | Время отпр. | В пути, дн. | Путь, км. |
|---|---|---|---|---|---|
| МОСКВА–ЯРОСЛАВСКИЙ ВОКЗАЛ | – | – | 21:20 | – | – |
| ПЕРМЬ | 17:12 | 00:25 | 17:37 | 1 | 1397 |
| ОМСК | 11:52 | 00:30 | 12:22 | 2 | 2676 |
| НОВОСИБИРСК | 19:48 | 00:22 | 20:10 | 2 | 3303 |
| КРАСНОЯРСК | 08:12 | 00:20 | 08:32 | 3 | 4065 |
| ИРКУТСК | 02:33 | 00:23 | 02:56 | 4 | 5153 |
| ХАБАРОВСК | 13:00 | 00:25 | 13:25 | 6 | 8493 |
| ВЛАДИВОСТОК | 02:07 | – | – | 7 | 9259 |

Новосиби́рск о́чень большо́й го́род: 1 425 000 жи́телей.

В Ирку́тске 593 400 жи́телей. В истори́ческом це́нтре го́рода мно́го ста́рых и краси́вых домо́в.

Владивосто́к - коне́чный пункт Транссиба. В го́роде 617 000 жи́телей.

По́езд ухо́дит **из** Москвы́ **с** Яросла́вского вокза́ла.

**Где ?** / **Откýда?**
**В** Москве / **Из** Москвы́
**На** вокза́ле / **С** вокза́ла

Ско́лько киломе́тров **от** Москвы́ **до** Владивосто́ка?

не́сколько мину́т    мно́го пассажи́р**ов**
не́сколько неде́ль    мно́го жи́тел**ей**

## ВОПРОСЫ И ЗАДАНИЯ

**1** **1.** Во ско́лько по́езд ухо́дит из Москвы́? **2.** Во ско́лько по́езд прихо́дит в Пермь? В Хаба́ровск? **3.** Ско́лько часо́в идёт по́езд из Омска в Новосиби́рск? **4.** Ско́лько киломе́тров от Москвы́ до Ирку́тска? До Владивосто́ка?

**2** *Посмотри́те на ка́рту Росси́и* на страни́це *14* **1.** Каки́е города́ нахо́дятся в Евро́пе? **2.** Каки́е города́ нахо́дятся в Азии? **3.** Како́й из э́тих городо́в – порт на Ти́хом океа́не? **4.** Како́й из э́тих городо́в нахо́дится недалеко́ от о́зера Байка́ла?

# В ПОЕЗДЕ

» Макси́м уже́ познако́мился с Паска́лем. Паска́ль живёт в Лио́не и рабо́тает фото́графом для аге́нтства «Ля Флеш». Он уже́ сде́лал не́сколько больши́х альбо́мов о Москве́ и Петербу́рге, но путеше́ствие по Трансси́бу – э́то его́ ста́рая мечта́.
А Макси́м расска́зывает своему́ францу́зскому колле́ге, что он прие́хал в Москву́ из Костромы́ и что э́то его́ пе́рвая рабо́та с иностра́нцем.

| приезжа́ть ≠ уезжа́ть приéхать ≠ уéхать | мно́го ма́ло не́сколько |
|---|---|

> Путеше́ствие по Трансси́бу – э́то его́ ста́рая мечта́. Он мечта́ет об э́том.

## ВОПРОСЫ И ЗАДАНИЯ

**1** 1. Отку́да прие́хал Паска́ль? **2.** Кем он рабо́тает? **3.** На како́м языке́ они́ разгова́ривают?

## ПРАКТИКА

**2 Кем они́ хоте́ли быть?**

*Преподава́тель ру́сского языка́* · *стюарде́сса* · *пило́т* · *арти́ст* · *медсестра́* · *матема́тик* · *актри́са.*

**1.** Паска́ль рабо́тает журнали́стом, но он хоте́л быть … . **2.** На́дя рабо́тает ги́дом, но она́ хоте́ла быть … . **3.** Бори́с рабо́тает шофёром, но он хоте́л быть … . **4.** Ива́н рабо́тает дире́ктором шко́лы, но он хоте́л быть … . **5.** Ю́лия рабо́тает массажи́сткой, но она́ хоте́ла быть … . **6.** Ни́на рабо́тает программи́стом, но она́ хоте́ла быть … . **7.** Ка́тя рабо́тает режиссёром, но она́ хоте́ла быть … .

**3 Продолжа́йте по образцу́:**

**а)** Когда́ Оле́г приезжа́ет из дере́вни ? → **б)** Из дере́вни он уже́ прие́хал.

**а)** Когда́ Ни́на прихо́дит с по́чты ? → **б)** С по́чты она́ уже́ пришла́.

**1.** Когда́ Па́вел прихо́дит из шко́лы? **2.** Когда́ Поли́на прихо́дит со стадио́на? **3.** Когда́ Ри́та приезжа́ет из Аме́рики? **4.** Когда́ И́горь прихо́дит из библиоте́ки? **5.** Когда́ Ко́ля прихо́дит с рабо́ты? **6.** Когда́ Же́ня прихо́дит из гости́ницы? **7.** Когда́ Да́йма приезжа́ет из Новосиби́рска? **8.** Когда́ Саи́д прихо́дит с уро́ков?

**4 Приду́майте диало́г:** Макси́м и Паска́ль разгова́ривают о свое́й рабо́те, о свое́й семье́, о Пари́же и Лио́не…

### О себе

**5** У вас есть мно́го …, не́сколько …, ма́ло … / у вас нет … .
*кассе́ты* · *ди́ски* · *иностра́нные фи́льмы* · *америка́нские фи́льмы* · *япо́нские видеои́гры* · *иностра́нные кни́ги* · *ру́сские кни́ги*

## ГДЕ? КУДА? ОТКУДА?

**1 Complétez avec un verbe de déplacement.**

Меня́ зову́т Ви́тя Глаго́лов. Мне 9 лет. У меня́ есть соба́ка, Трезо́р, и сестри́чка, Эллочка. Она́ о́чень ма́ленькая и ещё не … . Сейча́с у нас живёт ба́бушка. Она́ … из дере́вни на́ зиму. Я о́чень люблю́, когда́ ба́бушка с на́ми. Она́ так вку́сно гото́вит! И по́сле уро́ков она́ со мной игра́ет в домино́. Ой! Звоня́т в дверь. Это наве́рно па́па.

– Бабу́ля! Бабу́ля! Па́па … .

А где ба́бушка? Куда́ она́ … ?

## СЛОВА́РЬ ЛЕГКО́ И ПРО́СТО

**1 Trouvez le sens des mots en les analysant.**

**1.** Il y a dans les textes de la leçon beaucoup de mots empruntés au français : журна́л, реда́кция, секрета́рша, купе́. À votre avis pourquoi ce dernier mot a-t-il pris le sens de « compartiment » ?

**2.** On trouve aussi des mots composés à partir de plusieurs éléments :
– deux noms : парикма́хер (du vieux mot allemand *paruckenmacher*, « fabricant de perruques »). Connaissez-vous d'autres noms ainsi composés (pensez au vocabulaire du sport) ?
– un adjectif, parfois abrégé, et un nom : иностра́нец (ино́й : autre + страна́ : pays) медсестра́ (медици́нская сестра́)… Vous connaissez aussi физкульту́ра.
Pouvez-vous comprendre les mots : мединститу́т, иностра́нный, иногоро́дний, иноязы́чный ?
– un préfixe et un adjectif : транссиби́рский, ou encore трансатланти́ческий.
À votre tour, maintenant : comment sont formés les adjectifs composés : двухэта́жный, двухме́стный, шестиле́тний ? Trouvez des noms qu'ils peuvent déterminer.
Enfin, cherchez le sens des noms composés физфа́к, химфа́к, истфа́к, юрфа́к, журфа́к, dont les deux éléments sont abrégés (il s'agit du vocabulaire des étudiants).

**2 Complétez.**

**1.** Одна́ мину́та = шестьдеся́т секу́нд. **2.** Шестьдеся́т мину́т = … . **3.** Оди́н день = … . **4.** Семь дней = … . **5.** Оди́н ме́сяц = … . **6.** Двена́дцать ме́сяцев = … .

**3 Chassez l'intrus dans chaque colonne !**

| | | | | |
|---|---|---|---|---|
| медсестра́ | аэропо́рт | Владивосто́к | тролле́йбус | купе́ |
| массажи́ст | вокза́л | Хаба́ровск | трамва́й | ваго́н |
| иностра́нец | аэродро́м | Екатеринбу́рг | велосипе́д | локомоти́в |
| парикма́хер | порт | Петербу́рг | по́езд | ваго́н-рестора́н |
| фото́граф | стадио́н | Ирку́тск | авто́бус | жи́тель |

| | | | | |
|---|---|---|---|---|
| дере́вня | янва́рь | гости́ница | изба́ | ба́нка |
| страни́ца | май | магази́н | да́ча | буты́лка |
| го́род | апре́ль | банк | дом | кефи́р |
| столи́ца | октя́брь | кафе́ | реда́кция | ва́за |
| городо́к | весна́ | дверь | кварти́ра | флако́нчик |

# ДАВАЙТЕ познакомимся!

**Вы но́вый учени́к / но́вая учени́ца. Вы представля́етесь кла́ссу.**

- Как вас зову́т?
- Ско́лько вам лет?
- Где вы живёте?
- Каки́е языки́ вы изуча́ете?
- Ско́лько лет вы изуча́ете ру́сский язы́к?

- Каки́е предме́ты вы лю́бите?
- У вас больша́я семья́?
- Кем рабо́тают ва́ши роди́тели?
- Кем вы хоти́те быть?

**1 Задава́йте друг дру́гу вопро́сы о ка́ждом из э́тих люде́й.**

– Как зову́т э́ту де́вушку?

– Её зову́т…

– А ско́лько ей лет?

**АНКЕТА**

**ИМЯ ОТЧЕСТВО**
Андрей Николаевич

**ФАМИЛИЯ**
Смирнов

**ДАТА РОЖДЕНИЯ**
16/01/1996

**АДРЕС**
г. Новосибирск, Красный проспект, д. 82/1, кв. 6

**МЕСТО РАБОТЫ/УЧЁБЫ**
Школа № 21, Красный проспект, 83

**АНКЕТА**

**ИМЯ ОТЧЕСТВО**
Анжелика Сергеевна

**ФАМИЛИЯ**
Петрова

**ДАТА РОЖДЕНИЯ**
16/01/1987

**АДРЕС**
Новосибирск, ул. Октябрьская, д. 91, кв. 45

**МЕСТО РАБОТЫ/УЧЁБЫ**
Институт геологии, Университетский проспект, 3

**АНКЕТА**

**ИМЯ ОТЧЕСТВО**
Ксения Львовна

**ФАМИЛИЯ**
Алентова

**ДАТА РОЖДЕНИЯ**
16/01/1986

**АДРЕС**
г. Новосибирск, ул. Молодёжная, д. 12, кв. 45.

**МЕСТО РАБОТЫ/УЧЁБЫ**
Фирма Мегафон, ул. Генерала Ватутина, 71

**2 Принеси́те фотогра́фию дру́га и поговори́те о нём с това́рищем.**

– Познако́мьтесь, пожа́луйста! Это Русла́н.

– Очень прия́тно.

– А это На́дя, моя́ сестра́.

– Очень рад.

– Познако́мьтесь, пожа́луйста! Это Ма́рта. Она́ из Кана́ды. А это мой шко́льный това́рищ Воло́дя.

– Очень рад. Вы говори́те по-ру́сски?

– Да, я немно́го говорю́ по-ру́сски.

– Дава́йте познако́мимся. Меня́ зову́т Алекса́ндр Ильи́ч Соро́кин.

– Господи́н Дармо́н.

– Очень рад.

– Очень прия́тно.

– Дава́йте познако́мимся. Меня́ зову́т Алекса́ндр Ильи́ч Соро́кин.

– Госпожа́ Марни́.

– Очень рад.

– Очень прия́тно.

**3 Вы знако́митесь с но́вым ученико́м / с но́вым колле́гой… Составля́йте диало́ги.**

# Незабыва́емое путеше́ствие на БАЙКАЛ

◆ Le promoteur du voyage a établi un texte et rassemblé des images pour son document publicitaire. À quel mot ou phrase de son texte doit être rapportée chaque photographie ?

## Программа тура:

**1-й день:** Встреча группы на Ярославском вокзале. В 17.06 – отправление транссибирским экспрессом (поезд № 2) в Иркутск.

**2-й день:** В поезде.

**3-й день:** В поезде. Дегустация водки и икры в вагоне-ресторане поезда.

**4-й день:** В поезде.

**5-й день:** Рано утром прибытие в город Иркутск – европейский город в центре Азии. Трансфер в г-цу „Байкал", завтрак. Экскурсия до 13:30. Обед в ресторане «Медведь» (сибирская кухня). Свободное время для прогулки по Иркутску и покупки сувениров. Ужин и ночёвка в отеле.

**6-й день:** В 9.00 – отъезд на автобусе через леса до турбазы «Байкальские дюны» (время в пути около 5 часов).

**7-й и 8-й день:** Отдых на турбазе. Вас ждёт наш прекрасный пляж. Для вас открыты – кафе-бар, бильярдная, тренажёрный зал, волейбольная площадка, и традиционная русская баня! Вы можете также играть в настольный теннис, бадминтон и другие игры.

**9-й день:** После завтрака – возвращение в Иркутск. Трансфер в аэропорт и вылет в Москву.

**Тарифы**
на чел. в двухместном номере:
600 евро / 21000 рублей

# Урок 2 А
## СТУДЕНЧЕСКОЕ ОБЩЕЖИТИЕ

# МАКСИМ ЖИВЁТ В ДВУХ ШАГАХ ОТ КРЕМЛЯ

» В про́шлом году́ Макси́м жил в Костроме́ у роди́телей. Тепе́рь он живёт в Москве́ в большо́й кварти́ре на Нико́льской у́лице. Он о́чень дово́лен, потому́ что у него́ но́вая рабо́та в журна́ле «Вре́мя» и потому́ что живёт он в двух шага́х от Кремля́. На но́вой рабо́те он дру́жит с но́выми колле́гами. Но когда́ он звони́т свои́м ста́рым това́рищам в Кострому́, он говори́т, что у него́ ещё не всё хорошо́.

**Макси́м:** В Костроме́ у роди́телей был компью́тер, был при́нтер, вся те́хника была́, а тепе́рь…

**Ли́да:** Ты что! Всё это есть у тебя́ на рабо́те! Ну и хара́ктер!

---

Кому́? Но́вым колле́гам.
С кем? С но́выми колле́гами.
О ком? О но́вых колле́гах.

---

У Макси́ма был компью́тер, но не́ было ска́нера.

## ВОПРОСЫ И ЗАДАНИЯ

**1** **Макси́м дово́лен и́ли недово́лен?** Он дово́лен / недово́лен, потому́ что … .

## ПРАКТИКА

**2** **Продолжа́йте по образцу́: а)**  → **б)** В про́шлом году́ у Макси́ма был при́нтер.

*при́нтер*

**а)** → **б)** В про́шлом году́ у Макси́ма не́ было видеопрое́ктора.

*видеопрое́ктор*

*компью́терная энциклопе́дия*    *но́вая клавиату́ра*    *цифрово́й фотоаппара́т*    *хоро́ший компью́тер*    *моби́льный телефо́н*    *аудиоплее́р*

**3** **Продолжа́йте по образцу́ :** **а)** Макси́м пи́шет о сиби́рском го́роде.

→ **б)** Он ча́сто пи́шет о сиби́рских города́х.

**1.** Макси́м звони́т ста́рому това́рищу. **2.** Макси́м расска́зывает о моско́вском учи́теле. **3.** Макси́м покупа́ет биле́ты в театра́льной ка́ссе. **4.** Макси́м знако́мится с иностра́нным студе́нтом. **5.** Макси́м рабо́тает с но́вым фото́графом.

## О себе

**4** **Что хоро́шего у вас в э́том году́? Что плохо́го?**

Мне нра́вится мой но́вый класс… Мне нельзя́ игра́ть на компью́тере…

# урок 2В

## ЧТО ТАКОЕ, ПО-ВАШЕМУ, ИДЕАЛЬНАЯ ШКОЛА?

**Вот отве́ты ученико́в каза́нской шко́лы № 436 на вопро́с «Что тако́е, по-ва́шему, идеа́льная шко́ла»?**

**И́горь, 6-й А:** «Мне ка́жется, что э́то шко́ла, где хорошо́ и ученика́м и учителя́м».

**Оле́г, 8-й Б:** «Э́то шко́ла, где мно́го занима́ются спо́ртом».

**Ю́рий, 10-й А:** «Э́то шко́ла, где есть мно́го интере́сных кружко́в».

**Шами́ль, 10-й А:** «Идеа́льная шко́ла – э́то шко́ла, где ча́сто организу́ют дискоте́ки и конце́рты».

**Анто́н, 8-й А:** «Э́то шко́ла, где учителя́ помога́ют сла́бым ученика́м».

**О́льга, 9-й Б:** «По-мо́ему, э́то шко́ла, где мо́жно занима́ться ра́зными ви́дами спо́рта».

**Верони́ка, 9-й Б:** «По-мо́ему идеа́льная шко́ла, – э́то когда́ не на́до де́лать уро́ки в выходны́е».

**Людми́ла, 11-й А:** «Э́то шко́ла, где ученики́ не скуча́ют на уро́ках».

**Альми́ра, 11-й Б:** «Мне ка́жется, что э́то шко́ла, где есть хоро́шая атмосфе́ра».

**Алекса́ндра, 9-й Б:** «Э́то шко́ла, где не то́лько у́чатся, но и занима́ются спо́ртом, му́зыкой, теа́тром …».

---

| Как по-ва́шему…? | По-мо́ему… |
| Как вы ду́маете? | Я ду́маю, что… Мне ка́жется, что… |

Вам помо́чь?

---

Весь класс, вся шко́ла, всё расписа́ние уро́ков, все учителя́.

## ВОПРОСЫ И ЗАДАНИЯ

**1** Ребя́та шко́лы № 436 группиру́ются по интере́сам. Ка́ждая гру́ппа должна́ соста́вить свою́ програ́мму идеа́льной шко́лы. Назови́те э́ти гру́ппы и расскажи́те, каки́е у них интере́сы.

## ПРАКТИКА

**2 Что есть в ва́шей шко́ле?** У нас есть … У нас мно́го / ма́ло …

*Интере́сный кружо́к • большо́й кабине́т • но́вый компью́тер • ма́ленький / большо́й телеви́зор • DVD-пле́ер • видеопрое́ктор • хоро́ший учи́тель • сла́бый / си́льный учени́к.*

**3 Вы пло́хо слы́шали фра́зу. Вы переспра́шиваете.**

а) Ученики́ занима́ются **ра́зными ви́дами спо́рта.** → б) Чем они́ занима́ются?

1. Ча́сто организу́ют **хоро́шие конце́рты.** 2. Ребя́та ча́сто говоря́т об **уче́бных пробле́мах.** 3. Учителя́ помога́ют **сла́бым ученика́м.** 4. Воло́дя занима́ется **интере́сными вопро́сами.** 5. Журнали́ст спра́шивает **ма́леньких ученико́в** о кружка́х шко́лы. 6. В э́той шко́ле мно́го **интере́сных кружко́в.** 7. Он разгова́ривает с **но́выми това́рищами.** 8. Он спра́шивает о **но́вых учителя́х.**

## О себе

**4** Каки́е ви́ды спо́рта вам нра́вятся? Каки́ми ви́дами спо́рта вы занима́етесь? В каки́е дни вы занима́етесь спо́ртом?

# КРУЖКИ И СПОРТИВНЫЕ СЕКЦИИ ШКОЛЫ № 436

| | | Понеде́-льник | Вто́рник | Среда́ | Четве́рг | Пя́тница | Суббо́та |
|---|---|---|---|---|---|---|---|
| 1 | Кружо́к англи́йского языка́ | | | | | 16.00 18.00 | |
| 2 | Педаго́г-психо́лог | 14.00 17.30 | | 13.00 17.30 | 13.30 17.30 | | |
| 3 | Се́кция ми́ни-футбо́ла | | 15.00 17.00 | | | | |
| 4 | Тренажёрный зал | 17.00 21.00 | | | | 17.00 21.00 | |
| 5 | Спорти́вные се́кции | 18.00 20.30 | | | 18.00 20.30 | | |
| 6 | Кулина́рный кружо́к | | | 19.00 21.00 | | | |
| 7 | Се́кция карата́э | | | | | | 10.00 14.00 |
| 8 | Ша́хматный кружо́к | | | | 16.00 20.00 | | |
| 9 | Информа́тика | | 16.00 18.00 | | | | 10.00 12.00 |
| 10 | Кружо́к "Пали́тра"[1] | 14.30 16.00 | | | | | |

1. Пали́тра: palette.

## ВОПРОСЫ И ЗАДАНИЯ

**1** Ско́лько кружко́в в э́той шко́ле? В каки́е дни и в каки́е часы́ ребя́та занима́ются спо́ртом?

**2** Как вы ду́маете, в э́той шко́ле помога́ют сла́бым ученика́м? Нра́вится ли вам э́та програ́мма? Почему́?

## ПРАКТИКА

**3 Продолжа́йте по образцу́:**

   **а)** У него́ уро́к матема́тики.   → **б)** Он занима́ется матема́тикой.

**1.** У нас уро́к физкульту́ры. **2.** У них уро́к ру́сского языка́. **3.** У неё уро́к исто́рии. **4.** У меня́ уро́к рисова́ния. **5.** У вас уро́к англи́йского языка́. **6.** У меня́ уро́к фи́зики.

**4 Составля́йте фра́зы по образцу́:**

   **а)** 10.  → **б)** В понеде́льник ребя́та хо́дят в кружо́к «Пали́тра». Они́ лю́бят рисова́ть.

5 • 8 • 6 • 9 • 1

### О себе

**5** Вы у́читесь в каза́нской шко́ле №436. В како́м кружке́ (в каки́х кружка́х) вы хоти́те занима́ться? Почему́?

# КТО ЧЕМ УВЛЕКАЕТСЯ?

**≫** Макси́м де́лает репорта́ж о моско́вских шко́лах. Шко́льники расска́зывают ему́ об учёбе, об экза́менах, о спорти́вных се́кциях, о шко́льных газе́тах, о гла́вных пра́здниках, о похо́дах… В четве́рг он ходи́л в шко́лу №367, в пя́тницу – в шко́лу №112, в суббо́ту – в шко́лу №1155. А сего́дня воскресе́нье. Он отдыха́ет. К нему́ пришли́ Паска́ль Дюна́н и А́нна Фабр. Паска́ль познако́мил Макси́ма с симпати́чной францу́женкой из Пари́жа.

**≫** Сейча́с они́ сидя́т на ку́хне, пьют чай, и ду́мают, куда́ пойти́ сего́дня. А́нна о́чень интересу́ется теа́тром. Она́ хо́чет пойти́ в Театра́льный музе́й на Тверско́м бульва́ре. Она́ там ещё не была́. Паска́ль увлека́ется филатели́ей и хо́чет пойти́ в Интерне́т-кафе́: он слы́шал о но́вом фо́руме филатели́стов и ему́ хо́чется пообща́ться с други́ми филатели́стами. А Макси́м? У него́, коне́чно, то́же есть своё хо́бби, но он о нём не говори́т: пусть выбира́ют А́нна и Паска́ль! И вот они́ выхо́дят из до́ма. Куда́ они́ иду́т? В бассе́йн. Ведь они́ все лю́бят спорт…

| Занима́ться | |
|---|---|
| Интересова́ться | } кем, чем. |
| Увлека́ться | |

| Им хо́чется | |
|---|---|
| Им хоте́лось | } отдыха́ть. |

## ВОПРОСЫ И ЗАДАНИЯ

**1** Чем занима́лся Макси́м на э́той неде́ле? Что он де́лает сего́дня?

## ПРАКТИКА

**2 Учи́ть или учи́ться?**
**1.** Я … матема́тику у Со́фьи Андре́евны *(учу́ / учу́сь)*. **2.** Ты хорошо́ … *( у́чишь / у́чишься)*? **3.** Они́ … матема́тику и фи́зику *(у́чат / у́чатся)*. **4.** Он не лю́бит … *(учи́ть / учи́ться)*. **5.** Где вы … италья́нский язы́к *(у́чите / у́читесь)*? **6.** Мы … в университе́те *(у́чим / у́чимся)*.

**3 Составля́йте фра́зы по образцу́:** Ра́ньше я увлека́лся фотогра́фией, а тепе́рь я интересу́юсь му́зыкой.
геогра́фия • эконо́мика • информа́тика • фотогра́фия • исто́рия • му́зыка • поли́тика • психоло́гия • рисова́ние • филатели́я • футбо́л • ша́хматы…

**4 Продолжа́йте по образцу́:**     **а)** На э́той фотогра́фии она́ выхо́дит из до́ма.
           **→ б)** А здесь она́ уже́ вы́шла.

**1.** На э́той фотогра́фии он прихо́дит в шко́лу. **2.** На э́той фотогра́фии они́ выхо́дят из авто́буса. **3.** На э́той фотогра́фии они́ приезжа́ют в Москву́. **4.** На э́той фотогра́фии они́ ухо́дят с конце́рта. **5.** На э́той фотогра́фии они́ вхо́дят в музе́й. **6.** На э́той фотогра́фии он уезжа́ет из Новосиби́рска.

## О себе

**5** Вы нахо́дитесь в Москве́. Куда́ вы хоти́те пойти́? С кем вам хо́чется пообща́ться? Почему́?

## ГДЕ? КУДА? ОТКУДА?

**1** **Complétez avec un verbe de déplacement préverbé.**

В э́том году́ Ви́тя у́чится в четвёртом кла́ссе. Сейча́с 1-й уро́к. Ученики́ … в кабине́т 4-о́го А. Маргари́та Алексе́евна говори́т: «У нас но́вый учени́к. Познако́мьтесь. Это Ви́тя Глаго́лов. Он … из Зеленого́рска.»

Все смо́трят на Ви́тю. Ему́ хо́чется … из кла́сса и … домо́й, но учи́тельница говори́т: «Ви́тя, сади́сь с Зо́ей»!

**2** **Lisez la suite du texte.**

В э́то вре́мя па́па Ви́ти выезжа́ет из гаража́. Сего́дня в 10 часо́в 30 мину́т приезжа́ет из Бордо́ гру́ппа францу́зских шко́льников. Сейча́с Анато́лий Плато́нович въезжа́ет на террито́рию аэропо́рта Пу́лково.

**3** **Complétez le tableau.**

| пешко́м | | на маши́не… | |
|---|---|---|---|
| входи́ть | … | … | … |
| … | вы́йти | въе́хать | … |

## СЛОВАРЬ ЛЕГКО И ПРОСТО

**1** **Donnez dans chaque cas un mot formé sur la même racine.**

1. душ. 2. стол. 3. друг. 4. писа́ть. 5. спорт. 6. интере́сный. 7. иностра́нец. 8. студе́нт. 9. общежи́тие. 10. отдыха́ть.

**2** **Complétez avec au moins sept autres mots formés sur la même racine.**

Учени́к, учени́ца …

**3** **Complétez ces quatre séries avec les mots que vous connaissez.**

1. Шко́ла, учи́тель, кабине́т, матема́тика …
2. Тра́нспорт, тролле́йбус, пассажи́р …
3. Те́хника, компью́тер …
4. Хо́бби, о́тдых, информа́тика, филателия́ …

**4** **Chassez l'intrus dans chaque colonne !**

| | | | | |
|---|---|---|---|---|
| столо́вая | понеде́льник | за | биле́т | не́сколько |
| ку́хня | среда́ | о(б) | по́езд | тепе́рь |
| душева́я | выходно́й | пе́ред | вопро́с | ма́ло |
| дежу́рная | воскресе́нье | ме́жду | самолёт | мно́го |
| ко́мната о́тдыха | час | на | купе́ | пять |

# ДАВАЙТЕ поговори́м о шко́ле!

**Есте́ственные предме́ты**
- матема́тика
- фи́зика
- хи́мия
- биоло́гия

- информа́тика

**Гуманита́рные предме́ты**
- родно́й язы́к
- иностра́нный язы́к
- литерату́ра
- исто́рия
- геогра́фия
- эконо́мика

- му́зыка

- рисова́ние

- физкульту́ра

**Оце́нки**
- 5: пятёрка
- 4: четвёрка
- 3: тро́йка
- 2: дво́йка
- 1: едини́ца

Дневни́к ученика́ 4-ого кла́сса

– Мне о́чень нра́вится биоло́гия. А тебе́?

– Не о́чень. Я не о́чень люблю́ есте́ственные предме́ты.

– Каки́е предме́ты ты лю́бишь?

– Литерату́ру и исто́рию. Исто́рия – мой люби́мый предме́т.

– Что ты лю́бишь де́лать в выходны́е дни?

– В суббо́ту я отдыха́ю, а пото́м де́лаю уро́ки.

– А в воскресе́нье?

– В воскресе́нье я хожу́ в бассе́йн а пото́м игра́ю на компью́тере.

**❶ Составля́йте диало́ги на э́ти те́мы.**

Как вы у́читесь? Очень хорошо́, хорошо́, сре́дне, пло́хо?

На каки́х уро́ках вам интере́сно? На каки́х вы скуча́ете?

Каки́е ва́ши люби́мые предме́ты?

Нра́вится ли вам ва́ша шко́ла? Почему́?

Что вы лю́бите де́лать в суббо́ту-воскресе́нье?

## СТРАНА И ЛЮДИ

# На́ша шко́ла су́пер!

◇ Découvrez quelques aspects de la vie scolaire russe. À quel énoncé correspond chaque photographie ?

**а.** Здра́вствуй, шко́ла! Это мы говори́м ка́ждый год пе́рвого сентября́.

**б.** Мне нра́вится, что на уро́ках литерату́ры рабо́та прохо́дит в гру́ппах. Я о́чень люблю́ занима́ться вме́сте со свои́ми однокла́ссниками.

**в.** В на́шем а́ктовом за́ле прово́дятся дискоте́ки и вечера́.

**г.** Мы ча́сто е́здим на экску́рсии, в похо́ды, да́же зимо́й. Нам нра́вятся зи́мние и́гры!

**д.** Мы о́чень лю́бим фотографи́роваться!

**е.** Как хорошо́ пить горя́чий чай с блина́ми по́сле лы́жной прогу́лки!

**ж.** Я учу́сь в 11 кла́ссе. В ию́не выпускно́й ве́чер и выпускно́й бал! «До свида́ния, шко́ла!»

1

2

3

4

5

6

7

# В ГОСТЯХ У МАКСИМА

➤ Гости Максима сидят за столом, едят, пьют. Анна разговаривает с молодыми журналистами о жилищных проблемах в Москве. Всем очень хочется жить в такой квартире и ходить на работу пешком, как Максим!

Вот он несёт торт и чай своим гостям, когда вдруг они слышат звонок. Кто это может быть?

**Софья Викторовна:** Добрый вечер! К вам можно? Меня зовут Софья Викторовна. Я живу на первом этаже. Это вы, Максим Волгин?

**Максим:** Да, я. А в чём дело?

**Софья Викторовна:** В моём почтовом ящике было письмо для вас. Этот почтальон, наверно, не умеет читать! Вы – Волгин, а мой муж – Волпин.

**Максим:** Большое спасибо, Софья Викторовна.

➤ **Софья Викторовна:** Вы недавно в нашем доме? *(Слышно гав! гав!)* Вот, пожалуйста, это собака Аведяна… Вартан Вартанович Аведян – наш долгожитель и большой оригинал. Ему 82 года и он ещё ездит на моторолере. Он живёт на пятом этаже. А мои соседи Петровы…

**Максим:** Что вы говорите? Простите, у меня гости.

**Софья Викторовна:** Скажите им, что у нас на лестнице не курят!

**Максим:** Обязательно, Софья Викторовна. До свидания!

давно ≠ недавно

Софья Викторона всё знает обо всём и обо всех!

## ВОПРОСЫ И ЗАДАНИЯ

**1** На другой день Максим рассказывает Алёне, как прошёл вечер с друзьями. Придумайте рассказ.

## ПРАКТИКА

**2 Что им хочется делать?**    **а)** Анна говорит, что погода сегодня хорошая.

→ **б)** Ей хочется гулять.

**1.** Максим говорит, что Париж – прекрасный город. **2.** Раиса говорит, что интересуется журналистикой. **3.** Анна говорит, что купила овощи. **4.** Ребята говорят, что они сегодня много занимались. **5.** Паскаль говорит, что слышал много хорошего об этом спектакле. **6.** Ученики говорят, что любят танцевать. **7.** Мальчик говорит, что сегодня есть интересный футбольный матч. **8.** Моя сестра говорит, что вода в реке сегодня не холодная.

## 3 Игра.

Он не умеет…

Этот почтальон ничего не умеет делать! – говорит Софья Викторовна.

Каждый из вас по очереди составляет фразу о том, что не умеет делать этот почтальон. Например: «Этот почтальон не умеет кататься на коньках». Ученик, который не находит фразу, выходит из игры. Выигрывает тот, кто говорит последним.

# урок 3B

## ПРОФЕССИЯ – ПОЧТАЛЬОН

Здра́вствуйте! Меня́ зову́т Раи́са Пя́ткина. Мне два́дцать два го́да. Я из Ту́лы. В Москве́ я рабо́таю почтальо́ном вот уже́ два го́да. Прихожу́ на рабо́ту в оди́ннадцать часо́в, а ухожу́ в
5 пятна́дцать. Люблю́ свою́ рабо́ту, потому́ что ка́ждый день обща́юсь с людьми́. Но ве́чером учу́сь на факульте́те журнали́стики, потому́ что о́чень хочу́ быть журнали́стом. Два ме́сяца наза́д мне вы́пал шанс[1] рабо́тать в райо́не «Кита́й-
10 го́род». Ка́ждый день любу́юсь кремлёвскими ба́шнями, золоты́ми купола́ми, краси́выми фаса́дами домо́в! Ка́ждые выходны́е е́зжу домо́й – у меня́ там роди́тели и сёстры.

*Гла́вный моско́вский почта́мт*

15 Здра́вствуйте! Меня́ зову́т Арка́дий Валенти́нович Батко́в. Мне пятьдеся́т лет. Я прие́хал из Воро́нежа в Москву́ два́дцать четы́ре го́да наза́д и два́дцать три го́да разноси́л пи́сьма, откры́тки, газе́ты и пе́нсии жи́телям
20 Пре́сненского райо́на. По́мню пе́рвую телегра́мму с днём рожде́ния, кото́рую я принёс ба́бушке от вну́чки: как она́ была́ ра́да! Рабо́та была́ хоро́шая, но су́мка почтальо́на тяжёлая! Тепе́рь рабо́таю на гла́вном почта́мте. У меня́
25 покупа́ют ма́рки, откры́тки, конве́рты. Мне о́чень нра́вится наш коллекти́в!

1. Мне вы́пал шанс: j'ai eu la chance.

## ВОПРОСЫ И ЗАДАНИЯ

**1 Да и́ли нет?**

**1.** Сего́дня Арка́дий Валенти́нович несёт по́чту на Нико́льскую у́лицу. **2.** Раи́са у́чится днём. **3.** В суббо́ту Раи́са е́дет в Ту́лу. **4.** Тепе́рь Арка́дий Валенти́нович уже́ не рабо́тает. **5.** Раи́са разно́сит пи́сьма и газе́ты жи́телям райо́на «Кита́й-го́род». **6.** Ра́ньше Арка́дий Валенти́нович разноси́л пи́сьма жи́телям Пре́сненского райо́на.

**2** Та́ня, подру́га Раи́сы, расска́зывает о ней.
Фёдор Ма́ркович, друг Арка́дия Батко́ва, расска́зывает о нём.

## ПРАКТИКА

**2 Продолжа́йте по образцу́:**    а) Ба́буша несёт тяжёлую су́мку.
→ б) Нет, не тяжёлую су́мку, а тяжёлые су́мки.

**1.** Раи́са хо́дит по центра́льной у́лице. **2.** Молодо́й челове́к покупа́ет краси́вую откры́тку. **3.** Тури́сты интересу́ются краси́вым фаса́дом. **4.** Фёдор Ма́ркович обща́ется с но́вым колле́гой. **5.** У Анны нет краси́вой ма́рки. **6.** Они́ говоря́т о пе́рвом письме́ Макси́ма. **7.** Учи́тель помога́ет но́вому ученику́. **8.** Макси́м спра́шивает своего́ го́стя о Пари́же.

## О себе

**3** Расскажи́те о себе́ так, как Раи́са Пя́ткина.

# НИКОЛЬСКАЯ УЛИЦА

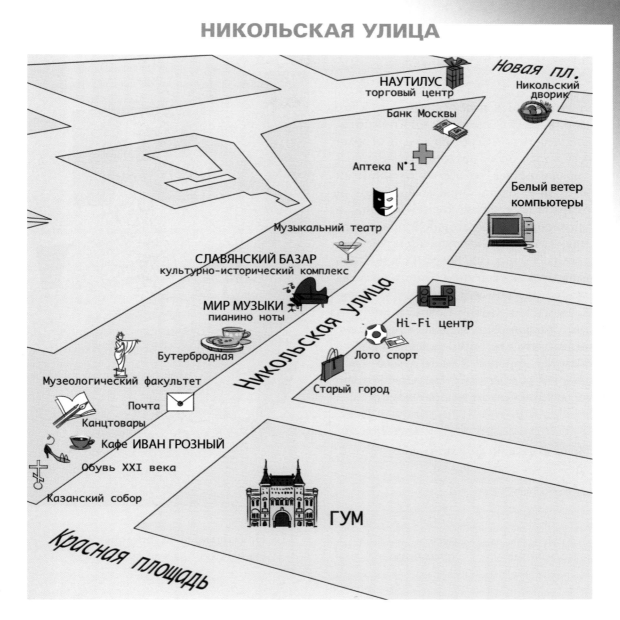

## ВОПРОСЫ И ЗАДАНИЯ

### 1 Куда́ вы идёте?

Вы хоти́те купи́ть тетра́дь, но́вые ту́фли, аспири́н, акусти́ческую систе́му, конве́рты, конфе́ты, но́ты, мужско́й костю́м, пода́рок для сестры́…

### 2 Вас спра́шивают о Нико́льской у́лице. Что вы мо́жете сказа́ть о ней?

## ПРАКТИКА

### 3 Составля́йте фра́зы:

На Нико́льской у́лице мно́го… .
*шика́рный магази́н • иностра́нный тури́ст • хоро́ший рестора́н • но́вая афи́ша • театра́льная ка́сса • интере́сный фаса́д • мо́дная де́вушка…*

## О себе

### 4 Вы гуля́ли с дру́гом / с подру́гой по Нико́льской у́лице. Где вы бы́ли? Что вы де́лали?

# МАКСИМ ПИШЕТ ПЛЕМЯННИКУ

Дорогой Валёра!

Как у тебя дела? Я надеюсь, что у тебя всё хорошо. У меня в этом году много работы, но мой шеф Игорь Сергеевич очень добрый человек и у нас очень дружный коллектив. Я уже познакомился со всеми, со многими дружу. Мне очень нравятся район и квартира, где я живу. Класс! Знаешь, я теперь хорошо знаю историю Московского Кремля – часто вожу туда приятелей из Костромы. Я у них гид. Вчера Лида и Игорь приехали сюда на три дня. Сегодня я их веду в Кремль. Вечером идём на пьесу «Едем, едем, едем…» в театр «Современник[1]». Я теперь большой театрал! Вера мне написала, что ты приезжаешь сюда в субботу. Как хорошо! Я часто думаю о вас, скучаю по родным местам! Обязательно скажи, каким поездом ты приезжаешь.

Пока.<br>
Твой Максим

P. S. Возьми с собой фотоаппарат и плащ – у нас сейчас дожди.

1. Совреме́нник: contemporain.

| дя́дя | тётя |
|---|---|
| племя́нник | племя́нница |

На ско́лько дней они́ прие́хали?
На неде́лю / на три дня.

## ВОПРОСЫ И ЗАДАНИЯ

**1** О чём пи́шет Макси́м? Он пи́шет об учёбе Валёры, о …

**2** Куда́ ча́сто хо́дит Макси́м?

## ПРАКТИКА

**3 Продолжа́йте по образцу́ :**

**а)** Сего́дня Макси́м ведёт прия́телей в Кремль. → **б)** Он ча́сто во́дит прия́телей в Кремль.
**1.** Сего́дня Макси́м идёт на по́чту. **2.** Сего́дня я е́ду в Петербу́рг. **3.** Сего́дня Раи́са е́дет в Ту́лу. **4.** Сего́дня Анна и её подру́га иду́т в магази́н «Мир му́зыки». **5.** Сего́дня мы ведём до́чку в парк. **6.** Сего́дня они́ е́дут на рабо́ту на метро́.

**4** Вы е́дете в Петебу́рг в феврале́. Сейча́с вы де́лаете поку́пки. Что вы покупа́ете для себя́? Что вы покупа́ете для ва́ших ру́сских прия́телей? Что вы берёте с собо́й?

### О себе

**5** Лю́бите ли вы писа́ть пи́сьма? А e-mail, SMS-сообще́ния?

## ГДЕ? КУДА? ОТКУДА?

**1** **Complétez ces phrases au présent.**

Что происхо́дит у вхо́да[1] в шко́лу? На́до идти́ на пе́рвый уро́к, но ученики́ не … в шко́лу, а смо́трят на Ви́тю и его́ соба́ку. Он … Трезо́ра на поводке́. Нет, э́то Трезо́р … Ви́тю в шко́лу. Это он … его́ портфе́ль! А кто поведёт соба́ку домо́й?

1. вход ≠ вы́ход

**2** **Заполня́йте табли́цу.**

| Что он де́лал, что она́ де́лала? | |
|---|---|
| он ходи́л, она́ ходи́ла | … |
| … | он е́хал, она́ е́хала |
| … | он нёс, она́ несла́ |
| он води́л, она́ води́ла | … |

**3** **Complétez ces phrases au passé.**

«Зна́ешь, ма́ма, Ви́тя сего́дня … в шко́лу со свое́й соба́кой. Кака́я она́ хоро́шая! Я то́же хочу́ соба́чку! Она́ … пе́рвая и … портфе́ль Ви́ти. Каза́лось, э́то она́ … его́ в шко́лу, а не ба́бушка, кото́рая … далеко́ за ни́ми! Мы смотре́ли на Ви́тю и его́ соба́ку, и не … на уро́к. Маргари́та Алексе́евна наве́рно не понима́ла, почему́ у неё в кла́ссе нет ученико́в. Ма́ма, купи́ мне соба́ку, пожа́луйста!»

## СЛОВАРЬ ЛЕГКО И ПРОСТО

**1** **Revoyez les mots qui désignent des relations familiales, lisez attentivement l'arbre généalogique puis complétez les phrases.**

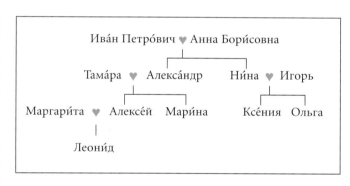

Ива́н Петро́вич ♥ Анна Бори́совна

Тама́ра ♥ Алекса́ндр     Ни́на ♥ Игорь

Маргари́та ♥ Алексе́й   Мари́на       Ксе́ния   Ольга

Леони́д

**1.** Ива́н Петро́вич – … Анны Бори́совны. **2.** Алекса́ндр – … Ива́на Петро́вича и Анны Бори́совны. **3.** Ива́н Петро́вич – … Ольги. **4.** Алексе́й и Маргари́та – … и … . **5.** Мари́на – … Ни́ны. **6.** Алексе́й – … Леони́да. **7.** Ни́на – … Мари́ны и Алексе́я. **8.** Ксе́ния – … Ива́на Петро́вича. **9.** Алекса́ндр – … Ксе́нии. **10.** Алексе́й … Ни́ны. **11.** Ксе́ния – … Ни́ны и Игоря. **12.** Анна Бори́совна – … Ни́ны и Алекса́ндра.

**2** **Что вы ви́дите на столе́? Чего́ нет?**

**3** **Trouvez cinq mots ayant un rapport avec la poste et commençant par la lettre п, puis tous les autres que vous connaissez.**

**4** **Quels sont les adjectifs correspondant à ces noms ?**

**1.** Петербу́рг → петербу́ргский. **2.** Москва́ → … . **3.** Кострома́ → … . **4.** Пари́ж → … . **5.** Кремль → … .

# ДАВАЙТЕ напишем письмо!

- Дорого́й / дорога́я
- Ми́лый / ми́лая
- Уважа́емый / уважа́емая
- Как ты пожива́ешь / вы пожива́ете?
- Как дела́?
- Как жизнь?

- Как рабо́та?
- Как де́ти?
- Всего́ до́брого / хоро́шего!
- Пиши́ / пиши́те!
- Целу́ю
- Обнима́ю
- С уваже́нием!

- Почто́вый я́щик

- По́чта на Нико́льской у́лице

- Почто́вая ма́рка

- Откры́тка

- Конве́рт

---

**1** **Вставля́йте пропу́щенные слова́.**

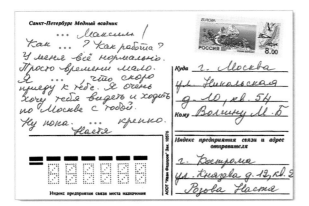

# СТРАНА И ЛЮДИ

# Моско́вский Кремль

◆ Retrouvez quelques aspects typiques de ce lieu, en rapportant chaque photographie à l'un des éléments du texte en caractères italiques.

Моско́вский Кремль – си́мвол не то́лько Москвы́, но и всей Росси́и.

Это большо́й архитекту́рный анса́мбль, окружённый[1] *кирпи́чной стено́й.* В э́тот анса́мбль вхо́дит 20 ба́шен. *Гла́вная ба́шня – Спа́сская.* Она́ выхо́дит на *Кра́сную пло́щадь.*

Ка́ждый час москвичи́ слы́шат бой кура́нтов *на часа́х Спа́сской ба́шни.* Это гла́вные часы́ страны́.

В Кремле́ рабо́тает Президе́нт Росси́и и его́ администра́ция. Но Кремль *откры́т и для тури́стов,* так как здесь нахо́дятся *Собо́рная пло́щадь со свои́ми стари́нными собо́рами* и *Оруже́йная пала́та*[2]. Ря́дом со стари́нными собо́рами нахо́дится и совреме́нное[3] зда́ние из мра́мора – *Госуда́рственный кремлёвский дворе́ц.* В э́том дворце́ прохо́дят спекта́кли: о́перные, бале́тные и конце́ртные програ́ммы.

1. Окружённый: entouré. 2. Оруже́йная пала́та: Palais des Armures. 3. Совреме́нный: moderne.

1

2

3

4

5

6

7

# Урок 4A
# РОМАНОВЫ

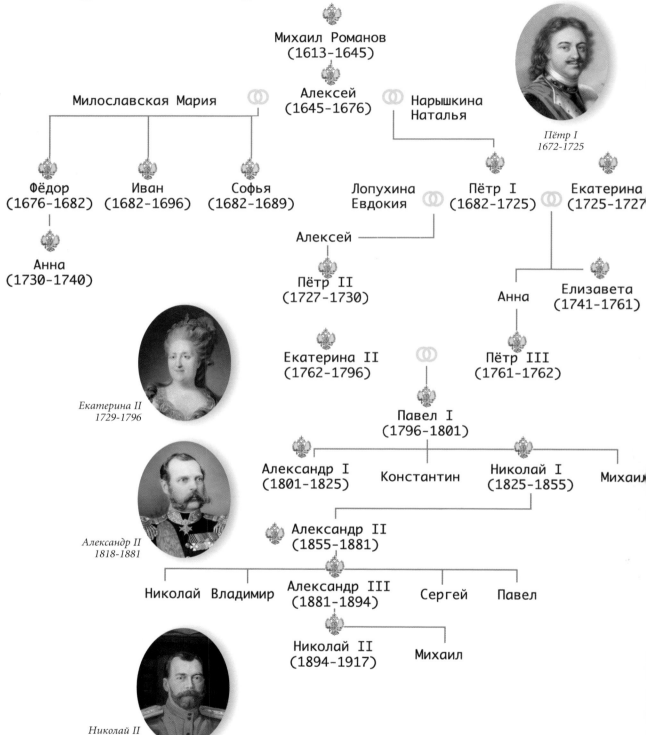

Михаил Романов
(1613–1645)

Алексей
(1645–1676)

Милославская Мария ⚭

Нарышкина
Наталья

*Пётр I*
*1672-1725*

Фёдор
(1676–1682)

Иван
(1682–1696)

Софья
(1682–1689)

Лопухина
Евдокия ⚭

Пётр I
(1682–1725) ⚭

Екатерина
(1725–1727)

Анна
(1730–1740)

Алексей

Пётр II
(1727–1730)

Анна

Елизавета
(1741–1761)

*Екатерина II*
*1729-1796*

Екатерина II
(1762–1796) ⚭

Пётр III
(1761–1762)

Павел I
(1796–1801)

*Александр II*
*1818-1881*

Александр I
(1801–1825)

Константин

Николай I
(1825–1855)

Михаил

Александр II
(1855–1881)

Николай  Владимир

Александр III
(1881–1894)

Сергей

Павел

Николай II
(1894–1917)

Михаил

*Николай II*
*1868-1918*

# ДОМ НА НИКОЛЬСКОЙ УЛИЦЕ

» – *Это здесь!*

Анна стои́т пе́ред больши́м бе́лым до́мом на Нико́льской у́лице и смо́трит на о́кна кварти́ры на пя́том этаже́.

В э́том до́ме родила́сь и до 1922 го́да жила́ её прабабушка Зинаи́да Алексе́евна. Ско́лько исто́рий – весёлых и гру́стных – слы́шала ма́ленькая Аня об э́том до́ме в Москве́! И о гимна́зии, где учи́лась прабабушка, и о револю́ции, и об эмигра́ции во Фра́нцию...

Зинаи́да Алексе́евна всё по́мнила прекра́сно и так смешно́ расска́зывала, как их больша́я профе́ссорская кварти́ра ста́ла коммуна́льной в 1918 году́.

> Зинаи́да родила́сь и жила́ в Росси́и. По́сле револю́ции семья́ эмигри́ровала во Фра́нцию.

 Он слу́шает весёлую исто́рию.   Он слу́шает гру́стную исто́рию.

## ВОПРОСЫ И ЗАДАНИЯ

**1** Где жила́ Зинаи́да Алексе́евна до револю́ции? Кем рабо́тал её оте́ц? Когда́ она́ эмигри́ровала? Куда́? Как вы ду́маете, с кем она́ эмигри́ровала?

## ПРАКТИКА

**2 Зна́ете ли вы э́тих люде́й? Скажи́те, когда́ они́ родили́сь и у́мерли.**

Алекса́ндр Пу́шкин • • 1867-1934
Наполео́н I • • 1934-1968
Юрий Гага́рин • • 1769-1824
Лев Толсто́й • • 1799-1837
Мари́ Кюри́ • • 1870-1924
Влади́мир Ле́нин • • 1828-1910

**3 Чита́йте и продолжа́йте по образцу́:** а) В про́шлом году́ я е́здил в Англию.

→ б) Да? А я никогда́ не́ был в Англии ... .

**1.** В про́шлом году́ я е́здил в Испа́нию. **2.** В про́шлом году́ я е́здила в Герма́нию. **3.** В про́шлом году́ я е́здил в Болга́рию. **4.** В про́шлом году́ я е́здила в Индию. **5.** В про́шлом году́ я е́здила в Ита́лию. **6.** В про́шлом году́ я е́здила в Япо́нию.

## О себе

**4** Скажи́те, в каки́х стра́нах вы уже́ бы́ли. Вы по́мните, в како́м году́ вы там бы́ли? С кем?

**5** По́мните ли вы ва́шего пе́рвого учи́теля и́ли ва́шу пе́рвую учи́тельницу? Как его́ (её) зва́ли? А свои́х пе́рвых шко́льных това́рищей? По-ва́шему, они́ по́мнят вас?

# урок 4В

# КОММУНАЛЬНАЯ КВАРТИРА

бедный ≠ богатый

в ты́сяча девятьсо́т
семна́дцатом году́/
в **октябре́** ты́сяча девятьсо́т
семна́дцатого го́да

По́сле Октя́брьской револю́ции 1917 го́да, большевики́ конфискова́ли дома́ и кварти́ры привилегиро́ванных кла́ссов (аристокра́тов и буржуа́, адвока́тов и враче́й, купцо́в и
5 профессоро́в...). В э́ти дома́ и кварти́ры перее́хали рабо́чие лю́ди из бе́дных кварта́лов.

Так, в одно́й большо́й кварти́ре, где ра́ньше жила́ одна́ семья́, тепе́рь могли́ жить вме́сте не́сколько ра́зных семе́й. У ка́ждой семьи́ была́
10 своя́ ко́мната (и́ли не́сколько ко́мнат), но ку́хня, ва́нная, туале́т бы́ли о́бщие. Ста́рые привилегиро́ванные кла́ссы бы́стро по́няли, что тепе́рь для них нет ме́ста ни в их кварти́ре, ни в их стране́. Миллио́ны ру́сских люде́й, и не
15 то́лько аристокра́ты и буржуа́, эмигри́ровали из Росси́и из-за терро́ра и репре́ссий.

*Интерье́р дореволюцио́нной кварти́ры в Петербу́рге*

## ВОПРОСЫ И ЗАДАНИЯ

**1** В каки́х кварти́рах жи́ли аристокра́ты и буржуа́ до револю́ции? А по́сле револю́ции? Почему́?

## ПРАКТИКА

**2 Это бы́ло до револю́ции и́ли по́сле револю́ции?**

    **а)** Зинаи́да Алексе́евна жила́ в Пари́же.

→ **б)** Это бы́ло по́сле револю́ции.

**1.** У Зинаи́ды была́ своя́ ко́мната в кварти́ре на Нико́льской у́лице. **2.** Она́ учи́лась в импера́торской консервато́рии. **3.** Оте́ц Зинаи́ды рабо́тал в кни́жном магази́не. **4.** Зинаи́да Алексе́евна игра́ла на пиани́но в рестора́не. **5.** Её сестра́ ходи́ла на балы́.

**3 Пра́вильны и́ли нет э́ти утвержде́ния?**

**1.** В 1917 году́ произошли́ две револю́ции. **2.** Ле́нин до́лго жил в эмигра́ции. **3.** Ле́нин, – э́то псевдони́м Никола́я Буха́рина. **4.** Кра́сную а́рмию организова́л Тро́цкий. **5.** В 1917 году́ ру́сского царя́ зва́ли Никола́й I. **6.** По́сле револю́ции большевики́ национализи́ровали фа́брики. **7.** В 1917 ру́сские рабо́чие жи́ли хорошо́.

# ОДНА КУХНЯ НА ВСЕХ

*Артистка Большого театра Галина Вишнёвская в детстве жила в коммунальной квартире в Ленинграде. Вот что она рассказывает в своих мемуарах:*

Хозяин[1] нашей квартиры, адмирал[2], во время революции уехал с семьёй из России. Он оставил в квартире всю мебель[3]. В нашей комнате стояло даже пианино «Беккер». В квартире
5 – пять хороших комнат и огромная кухня с большой плитой. На ней все готовили. В каждой

*А в этой кухне две плиты...*

комнате жила отдельная семья. В одной – я с бабушкой и дядей Андреем. В другой – моя тётя Катя, мой дядя Коля и три их сына. В третьей жила одинокая докторша[4] и ещё в
10 двух комнатах семья Давыдовых – муж, жена и три дочки. Ну и конечно, одна уборная[5] и одна ванная на всех. Но в нашем доме это была ещё небольшая квартира, только четырнадцать человек...

15 По книге Галины Вишнёвской «Галина»

1. Хозяин : le propriétaire.  2. Адмирал: un amiral.  3. Мебель: les meubles.  4. Одинокая докторша: une doctoresse toute seule.
5. Уборная = туалет.

| | | | |
|---|---|---|---|
| **Сколько человек** в квартире ? В квартире 14 **человек**. | | | На улице **много людей**. |

| до революции | перед революцией | во время революции | после революции |
|---|---|---|---|

## ВОПРОСЫ И ЗАДАНИЯ

**1** Сколько человек жило в комнате Галины? Что ещё стояло в этой комнате? Какие комнаты были общие?

## ПРАКТИКА

**2 Продолжайте по образцу: а)** Когда мы обедали, Максим рассказывал мне о Костроме. Он рассказывал мне о Костроме *до / во время / после* обеда?

→ **б)** Он рассказывал мне о Костроме во время обеда.

**1.** Директор пришёл в 10-ый класс, когда ученики были на уроке. Он пришёл в 10-ый класс *до / во время / после* урока?

**2.** Когда мы ехали на поезде в Петербург, мы познакомились с туристами из Бельгии. Мы с ними познакомились *до / во время / после* путешествия?

**3.** Паскаль работал всё утро, а потом пошёл обедать. Он работал *до / во время / после* обеда?

**4.** Они вышли из концертного зала и пошли в кафе. Они пошли в кафе *до / во время / после* концерта?

**5.** Учитель дал нам тему контрольной работы и сказал, как надо отвечать. Он дал нам тему контрольной работы *перед / во время / после* контрольной?

**6.** Анна сделала зарядку и пошла завтракать. Она сделала зарядку *перед завтраком / во время / после* завтрака?

## О себе

**3** Вы уже переезжали в другой город? На другую квартиру? Вы живёте в доме или в квартире? У вас отдельная комната?

# «МОСКВА-СИТИ»

» **Анна:** Макси́м, каки́е у тебя́ пла́ны на за́втра? Мы смо́жем уви́деться?

**Макси́м:** Так... Мину́точку... За́втра с утра́ я бу́ду в реда́кции. Пото́м пое́ду в но́вый кварта́л «Москва́-Си́ти», сде́лаю там не́сколько фотогра́фий, а пото́м опя́ть бу́ду в реда́кции до ве́чера...

**Анна:** «Москва́-Си́ти»! А мо́жно я пое́ду с тобо́й? Я хочу́ посмотре́ть на Москву́ бу́дущего...

**Макси́м:** Да, коне́чно, мо́жно. Дава́й сде́лаем так: я тебе́ сего́дня ве́чером позвоню́ и скажу́, где и когда́ я бу́ду тебя́ ждать.

**Анна:** Спаси́бо, Макс. Ну, пока́.

» *На друго́й день.*
*Архите́ктор расска́зывает Макси́му о прое́кте «Москва́-Си́ти».*

– А в це́нтре э́того кварта́ла мы постро́им «Ба́шню на на́бережной». В ней бу́дут о́фисы фирм и компа́ний, рестора́ны...

– Как до́лго вы бу́дете стро́ить э́то зда́ние?

– Че́рез два го́да вы смо́жете поу́жинать в рестора́не на 55 этаже́!

| в бу́дущем в бу́дущем году́ на бу́дущей неде́ле |
| --- |

| Я **пойду́** в реда́кцию. Я там **бу́ду рабо́тать** до ве́чера. |
| --- |

## ВОПРОСЫ И ЗАДАНИЯ

**1** Когда́ уви́дятся Макси́м и Анна? С кем они́ бу́дут разгова́ривать? О чём? Чем интересу́ется Анна?

## ПРАКТИКА

**2** Что Макси́м бу́дет де́лать за́втра? Во-пе́рвых ... . Во-вторы́х ... . В-тре́тьих ... .
Он познако́мится с архите́ктором • он поу́жинает • он сде́лает фотогра́фии • он бу́дет спра́шивать архите́ктора о прое́кте • он пое́дет в реда́кцию • он пое́дет в но́вый кварта́л «Москва́-Си́ти» • он бу́дет рабо́тать до ве́чера • он прие́дет домо́й в 10 часо́в ве́чера.

**3** **Рабо́та в па́рах.**

**Pascal demande à Anna**
• ce qu'elle fait demain
• ce qu'ils vont y faire

• s'ils resteront là-bas longtemps.

**Anna répond**
• qu'elle va voir Maxime et qu'ils vont aller à Moscou-City
• que Maxime va photographier les nouveaux bâtiments et qu'elle veut voir le nouveau quartier.
• qu'elle ne sait pas : peut-être déjeuneront-ils là-bas, et iront-ils ensuite au journal de Maxime.

## О себе

**4** Когда́ вы бу́дете студе́нтом, вы бу́дете жить с роди́телями, в общежи́тии и́ли с друзья́ми?

## ГДЕ? КУДА? ОТКУДА?

**Complétez les pointillés avec un verbe de déplacement (avec ou sans préverbe).**

**1** Ра́ньше Ви́тя жил в ма́леньком го́роде Зеленого́рске. Неда́вно Глаго́ловы … в Петербу́рг. Это большо́й го́род! Лю́ди здесь на рабо́ту е́здят: кто на метро́, кто на трамва́е, а кто и на маши́не. Тепе́рь и у Глаго́ловых есть маши́на. Куда́ они́ на ней е́здят?

**2**

| Ра́ньше | Тепе́рь |
|---|---|
| Ма́ма ходи́ла на рабо́ту пешко́м. | Она́ … туда́ на метро́. |
| Па́па выходи́л из до́ма в 8 часо́в 30 мину́т. | Он … в 8 часо́в. |
| Он приходи́л на рабо́ту в 8 часо́в 45 мину́т. | Он … в 9 часо́в. |
| Он шёл на рабо́ту 15 мину́т. | Он на маши́не … час. |
| Ма́ма уходи́ла на рабо́ту вме́сте с па́пой. | Она́ … по́сле него́. |

**3** И то́лько Ви́тя, как и ра́ньше, … в шко́лу пешко́м. Ему́ на́до то́лько … у́лицу. А в воскресе́нье Глаго́ловы … на но́вой маши́не в дере́вню к ба́бушке.

## СЛОВАРЬ ЛЕГКО И ПРОСТО

**1** **Révisez les noms des professions et complétez les phrases.**

Био́лог, зоо́лог, социо́лог, фило́соф, психо́лог, матема́тик, хи́мик, фи́зик…
Учи́тель(ница), преподава́тель(ница), профе́ссор, библиоте́карь (библиоте́карша)…
Актёр, актри́са, режиссёр, арти́ст(ка), музыка́нт(ша)… Журнали́ст, фото́граф…
Инжене́р, рабо́чий, адвока́т, юри́ст, архите́ктор, секрета́рь (секрета́рша), шофёр…
Врач, медсестра́… Гид, перево́дчик… Коммерса́нт, парикма́хер(ша)…

**1.** Ира увлека́ется медици́ной.
**2.** Воло́дя у́чится на юриди́ческом факульте́те.
**3.** Ни́на у́чится в педагоги́ческом институ́те.
**4.** Ви́ктор интересу́ется то́лько фотогра́фией.
**5.** Юрий хо́чет преподава́ть в университе́те.
**6.** Ума́р лю́бит расска́зывать о своём го́роде и о свое́й стране́.
**7.** Юрий уже́ 7 лет занима́ется в театра́льном кружке́.
**8.** Оля лю́бит рисова́ть пла́ны домо́в.

Она́ бу́дущий … и́ли бу́дущая … .
Он бу́дущий … .
Она́ бу́дущая … .
Он бу́дущий … .
Он бу́дущий … .

Он бу́дущий … .
Он бу́дущий … и́ли … .
Она́ бу́дущий … .

**2** **Il y a 7 verbes dont l'infinitif présente le suffixe -ова (infinitif en -овать) dans ce texte. Trouvez-les et indiquez dans chaque cas l'infinitif.**

В октябре́ 1917 го́да Ле́нин и па́ртия большевико́в организу́ют револю́цию в Петрогра́де. Они́ национализи́руют фа́брики и заво́ды. Начина́ется гражда́нская война́. Большеви́к Тро́цкий формиру́ет Кра́сную а́рмию, а ца́рские генера́лы – Бе́лую а́рмию. Эту исто́рию иллюстри́рует, наприме́р, сове́тский фильм «Чапа́ев».

В СССР коммунисти́ческая па́ртия плани́рует эконо́мику и всё контроли́рует в стране́. По́сле 1985 го́да Михаи́л Горбачёв демократизи́рует э́ту систе́му.

# ДАВАЙТЕ поговори́м!

**БАНК СЛОВ**

- За́втра, послеза́втра.
- Че́рез два дня, че́рез неде́лю, че́рез ме́сяц, че́рез год...
- На бу́дущей неде́ле, в бу́дущем году́...

**1 Расскажи́те о себе́**

Во ско́лько вы пойдёте в шко́лу за́втра? Ско́лько уро́ков у вас бу́дет до обе́да? Во ско́лько вы пообе́даете? Где вы бу́дете по́сле обе́да? Когда́ вы уйдёте домо́й? Что вы бу́дете де́лать ве́чером?

**2 Рабо́та в па́рах.**

| | |
|---|---|
| Каки́е у тебя́ пла́ны на за́втра? | – У меня́ нет пла́нов на за́втра. |
| | – Вот мои́ пла́ны: … . |
| Когда́ у тебя́ бу́дут кани́кулы? | – … . |
| Каки́е у тебя́ пла́ны на кани́кулы? | – На кани́кулах я бу́ду … . |
| На ле́то? | – … . |
| Каки́е у тебя́ пла́ны на бу́дущий год? | – В бу́дущем году́ я бу́ду учи́ться в … кла́ссе. Я бу́ду … . |

**ДИАЛОГИ**

### В рестора́не

– Что вы бу́дете есть?

– На пе́рвое – борщ.

– А на второ́е?

– На второ́е я возьму́ котле́ты под пика́нтным со́усом.

– А что бу́дете пить?

– Буты́лочку кра́сного францу́зского вина́, пожа́луйста.

**3 Lisez ce dialogue et rejouez-le en changeant le menu…**

**4 Что они́ возьму́т на обе́д?**

Марк возьмёт …

Мы …

Я …

Ива́н …

Ты …

Ве́ра и Анто́н …

## СТРАНА И ЛЮДИ

# Москва-Сити
## – проект будущего

◆ Si la journaliste avait dû illustrer son article, quelle photographie aurait-elle choisie pour chacun des paragraphes suivants?

**а.** Вчера открылось первое здание делового квартала «Москва-Сити» на Краснопресненской набережной.

**б.** Но первым объектом квартала «Москва-Сити» стал мост «Багратион» через Москву-реку. Его построили в 1997 году, когда столица праздновала своё 850-летие.

**в.** Автор амбициозного проекта – комплекса офисных, гостиничных, коммерческих и рекреационных центров – столичный архитектор Борис Тхор.
К 860-летию Москвы в деловом центре построят 55-этажный небоскрёб.
А абсолютным архитектурным рекордом «Москва-Сити» будет 75-этажная высотка. Таких гигантов в столице ещё не было.

*Москва, 15 октября 2003.*

(Российское информационное агентство *Вести*, Ольга Лисицкая)

# Урок 5А

## КАЗАНЬ ВЧЕРА И СЕГОДНЯ

1

2

3

4

5

6

7

8

# СКОРО РЕБЯТА ПОЕДУТ В ТАТАРСТАН

**» Анна:** Ско́ро я пое́ду в Респу́блику Татарста́н.
**Паска́ль:** Куда́?
**Анна:** В Татарста́н. Недалеко́ от Каза́ни, есть уса́дьба. Там ско́ро бу́дет культу́рный центр. Я как раз пое́ду на откры́тие э́того це́нтра.
**Макси́м:** Мне ка́жется, что я об э́том слы́шал. Когда́ откро́ется центр?
**Анна:** В декабре́. Вы зна́ете, я всю жизнь слы́шала об э́том ме́сте, Отра́дное. Там находи́лось име́ние мои́х пре́дков.
**Макси́м:** Не мо́жет быть! У тебя́ ру́сские ко́рни?
**Анна:** Да, моя́ праба́бушка Зинаи́да эмигри́ровала из Росси́и в 1922 году́.
**Паска́ль:** Как интере́сно! Мне о́чень хо́чется пое́хать туда́!
**Макси́м:** Мне то́же! Я вас туда́ повезу́ на маши́не!
**Анна:** Зимо́й? По ва́шим доро́гам? Нет, мы пое́дем на по́езде. Я позвоню́ дире́ктору культу́рного це́нтра, скажу́, что прие́ду не одна́.

| весь ве́чер | всю жизнь | всё вре́мя |
|---|---|---|
| вози́ть | везти́ | повезти́ |

## ВОПРОСЫ И ЗАДАНИЯ

**1 Дополня́йте фра́зы.**

**1.** У Анны ру́сские ко́рни, потому́ что … . **2.** Анна хорошо́ зна́ет ме́сто, где откро́ется культу́рный центр, потому́ что … . **3.** Анна позвони́т дире́ктору культу́рного це́нтра, потому́ что … . **4.** Ребя́та пое́дут в Татарста́н, потому́ что … . **5.** Они́ пое́дут на по́езде, потому́ что … .

## ПРАКТИКА

**2 Продолжа́йте по образцу́: а)** Они́ хотя́т откры́ть культу́рный центр.
→ **б)** А когда́ они́ его́ откро́ют?

**1.** Они́ хотя́т пое́хать на откры́тие культу́рного це́нтра. **2.** Она́ хо́чет позвони́ть в Каза́нь. **3.** Она́ хо́чет пое́хать в Татарста́н на по́езде. **4.** Они́ хотя́т постро́ить торго́вый центр. **5.** Они́ хотя́т принести́ бага́ж в гости́ницу. **6.** Они́ хотя́т познако́миться с дире́ктором це́нтра.

**3 Продолжа́йте по образцу́: а)** У него́ бельги́йские ко́рни.
→ **б)** Его́ пре́дки жи́ли в Бе́льгии.

**1.** У неё ру́сские ко́рни. **2.** У него́ италья́нские ко́рни. **3.** У них францу́зские ко́рни. **4.** У неё испа́нские ко́рни. **5.** У него́ неме́цкие ко́рни. **6.** У неё болга́рские ко́рни.

**4 Спра́шивайте по образцу́: а)** Они́ ча́сто е́здят на да́чу. → **б)** Кто их туда́ во́зит?

**1.** Он ча́сто е́здит в Ту́лу. **2.** Они́ ча́сто хо́дят в музе́и. **3.** Она́ ча́сто хо́дит в бассе́йн. **4.** Они́ ча́сто е́здят в культу́рный центр. **5.** Она́ ча́сто хо́дит на стадио́н. **6.** Они́ ча́сто е́здят на мо́ре.

## О себе

**5** Расскажи́те о свои́х ба́бушках / де́душках. Где они́ жи́ли? Кем рабо́тали? … Что вы зна́ете о свои́х праба́бушках и праде́душках?

# урок 5В

*Никола́й Петро́вич Шереме́тев
(1751-1809)*

Они́ пожени́лись в 1801 году́.

*Праско́вья Ковалёва-Жемчуго́ва
(1768-1803)*

име́ть → Шереме́тевы име́ли мно́го крепостны́х.
име́ние → В их име́ниях бы́ли прекра́сные па́рки.

## КУСКОВО – ИМЕНИЕ ШЕРЕМЕТЕВЫХ

С XVI по XIX век Шереме́тевы игра́ли большу́ю роль в исто́рии Росси́и. В то вре́мя э́то была́ о́чень бога́тая семья́. Бори́с Петро́вич Шереме́тев (1652-1719) был
5 пе́рвый ру́сский граф[1] и фельдма́ршал[2]. Но по́сле него́ Шереме́тевы бо́льше не занима́лись вое́нными дела́ми. Они́ ста́ли мецена́тами.

Сын Бори́са Петро́вича Пётр Шереме́тев (1711-1788) в XVIII ве́ке постро́ил дворе́ц в Куско́ве.
10 Все Шереме́тевы люби́ли му́зыку. Они́ хорошо́ игра́ли на музыка́льных инструме́нтах. Граф Пётр Бори́сович прекра́сно игра́л на виолонче́ли.

Они́ о́чень люби́ли и теа́тр. В Куско́ве был теа́тр, где игра́ли крепостны́е актёры.
15 В 1801 году́ Никола́й Петро́вич жени́лся на свое́й крепостно́й актри́се Праско́вье, а в 1803 году́ у них роди́лся сын Дми́трий.

1. Граф: comte. 2. Фельдма́ршал: feld-maréchal, grade le plus élevé de la hiérarchie militaire.

*Куско́во – име́ние гра́фов Шереме́тевых.*

## ВОПРОСЫ И ЗАДАНИЯ

**1** Перескажи́те текст в настоя́щем вре́мени.

**2** Шереме́тевы бы́ли бога́тые лю́ди. Как вы ду́маете, что они́ име́ли? Чем они́ занима́лись в XVII ве́ке? Чем они́ занима́лись с XVIII ве́ка? Почему́? Чем они́, по-ва́шему, не занима́лись?

## ПРАКТИКА

**3 Составля́йте фра́зы по образцу́: а)** Мари́на ♥ И́горь. 1939 г.

→ **б)** Мари́на вы́шла за́муж за И́горя в 1939 году́. /
И́горь жени́лся на Мари́не в 1939 году́. /
Мари́на и И́горь пожени́лись в 1939 году́.

Ра́иса ♥ Дми́трий. 1954 г.  Людми́ла ♥ Ю́рий. 1992 г.  Зинаи́да ♥ Анто́н. 1944 г.
Гали́на ♥ Андре́й. 1987 г.  Анастаси́я ♥ И́горь. 2005 г.  Евге́ния ♥ Рома́н. 2001 г.

# КРЕПОСТНОЕ ПРАВО

С XVI ве́ка по XIX век в Росси́и бы́ло крепостно́е пра́во. Ру́сские крестья́не принадлежа́ли дворя́нам-поме́щикам. Это бы́ло о́чень
5 жесто́кое вре́мя, осо́бенно при Екатери́не II: поме́щики могли́ продава́ть крестья́н и дари́ть их как вещь, меня́ть их на соба́к и́ли на лошаде́й, прои́грывать в ка́рты.
10 Да́же жени́ться без разреше́ния поме́щика крестья́не не могли́.

Жизнь крепостны́х люде́й была́ о́чень тяжёлой. Мно́гие бежа́ли[1] в Сиби́рь, на Дон, в Пово́лжье.
15 Ча́сто происходи́ли крестья́нские восста́ния[2], наприме́р восста́ние казако́в при Екатери́не II. От крепостно́го пра́ва крестья́н освободи́л Импера́тор Алекса́ндр II.
20 В 1861 году́ они́ получи́ли свобо́ду и пра́во на вы́куп[3] земли́.

1. Бежа́ть: (ici) s'enfuir.
2. Восста́ние: soulèvement, insurrection.
3. Вы́куп: rachat.

*Ру́сские крестья́не*

К. В. Ле́бедев. *Прода́жа крепостны́х с аукцио́на*

В 1861 году́ Алекса́ндр II отмени́л крепостно́е пра́во.

В 1861 году́ крепостны́е ста́ли свобо́дными.

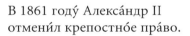

крестья́нин / крестья́нка → крестья́не
дворяни́н / дворя́нка → дворя́не

## ВОПРОСЫ И ЗАДАНИЯ

**1** **Расскажи́те о крестья́нах и дворя́нах.**

Дворя́не име́ли … / Крестья́не …
Дворя́не могли́ … / Крестья́не …

## ПРАКТИКА

**2** **Как вы ду́маете, при како́м имера́торе (при како́й императри́це) э́то произошло́?**

*Алекса́ндр III, Никола́й II, Екатери́на II, Алекса́ндр II.*

**1.** Отме́на[1] крепостно́го пра́ва. **2.** Восста́ние казако́в. **3.** Револю́ция 1905 го́да. **4.** Закла́дка[2] Транссиби́рской магистра́ли. **5.** Февра́льская револю́ция.
1. Отме́на: abolition. 2. Закла́дка: (ici) début de la construction.

**3** **Зна́ете ли вы жизнь Алекса́ндра II, царя́-освободи́теля? Дополня́йте фра́зы.**

**1.** Он … в 1818 году́. **2.** В 1841 году́ он … на Мари́и Алекса́ндровне. **3.** В 1845 году́ у них с Мари́ей Алекса́ндровной … сын Алекса́ндр. **4.** В 1855 году́ он … импера́тором Росси́и. **5.** В 1861 году́ он … крепостно́е пра́во. 6. В 1881 году́ он … .

# ПОЛУЧИЛ ЛИ ОН БАЛЬНУЮ КНИЖКУ?

| дéтство | мóлодость | стáрость |
|---|---|---|

| начинáть ≠ кончáть | |
|---|---|
| начáть ≠ кóнчить | + Ipf. |

» **Паскáль:** Твоя прабáбушка ещё живá?

**Анна:** Нет. Онá умерлá в 1995 годý. Мне тогдá было 10 лет, а ей – 94 гóда.

**Максúм:** Ты её пóмнишь?

**Анна:** Конéчно, пóмню. В Парúже мы жúли в однóм дóме и óчень чáсто вúделись.

**Максúм:** Ты с ней говорúла по-францýзски úли по-рýсски?

**Анна:** По-францýзски. Онá началá говорúть по-францýзски, когда былá совсéм мáленькая. У неё былá францýзская гувернáнтка[1]. А я в дéтстве ещё не говорúла по-рýсски.

» **Паскáль:** Что ты пóмнишь о ней?

**Анна:** Я пóмню, что онá чáсто расскáзывала о жúзни в Москвé. И ещё мне óчень нрáвились её расскáзы о канúкулах в Отрáдном. В дéтстве онá былá весёлая дéвочка, óчень любúла танцевáть, и мечтáла о своём пéрвом бáле. Но произошлá револю́ция, потóм былá граждáнская войнá… Её мóлодость прошлá не на балáх! Кстáти я не знáю, получúл ли дирéктор музéя в Отрáдном бáльную кнúжку её стáршей сестры́. Это подáрок музéю от нáшей семьú. Музéй и культýрный центр открóются в одúн день.

**Максúм:** Бáльная кнúжка? Что это такóе? Пéрвый раз слы́шу.

1. Гувернáнтка : gouvernante.

## ВОПРОСЫ И ЗАДАНИЯ

**1** Перескажúте разговóр Максúма, Паскáля и Анны свойми словáми.

## ПРАКТИКА

**2** Как вы дýмаете, что онú дéлают тепéрь?

     **а)** Рáньше он рабóтал на пóчте. → **б)** Тепéрь он рабóтает…

**1.** Рáньше он возúл меня́ на мотоцúкле. **2.** Рáньше он учúлся в шкóле. **3.** Рáньше он продавáл консéрвы. **4.** Рáньше онá éздила в шкóлу на велосипéде. **5.** Рáньше онá чáсто танцевáла. **6.** Рáньше онú вúделись на рабóте. **7.** Рáньше онá дружúла с Зóей. **8.** Рáньше он кончáл рабóту в 5 часóв. **9.** Рáньше онú жúли в однóм дóме. **10.** Рáньше онá ждалá меня́ у вокзáла.

**3** Отвечáйте по образцý: **а)** Онá ещё живá? → **б)** Я не пóмню, живá ли онá.

**1.** Её родúтели рабóтали? **2.** Онá умéла танцевáть? **3.** Онá жилá в Парúже? **4.** В дéтстве онá говорúла по-францýзски? **5.** Онá ходúла на балы́? **6.** Онá вы́шла зáмуж во Фрáнции? **7.** Онá былá весёлая? **8.** У неё был брат? **9.** Онá любúла рисовáть? **10.** У неё былá гувернáнтка?

### О себе

**4** В какóм годý вы родилúсь? На какóм языкé (на какúх языкáх) вы говорúли, когда вы бы́ли мáленький (мáленькая)? На какúх языкáх вы говорúте сегóдня? О чём вам нрáвится разговáривать с бáбушкой, с дéдушкой…?

## ГДЕ? КУДА? ОТКУДА?

**1** **Complétez avec un verbe de déplacement (simple ou avec préverbe).**

– Па́па, па́па, дава́й пойдём в цирк!

– Ви́тя, я не могу́. У францу́зов сего́дня экску́рсия в Но́вгород. Мне на́до их … туда́.

– Когда́ ты …?

– Че́рез час. Я … то́лько за́втра ве́чером, но … тебе́ пода́рок.

– Не хочу́ пода́рок! Пусть ма́ма меня́ … в цирк!

– Ты же зна́ешь, что ма́ма не мо́жет. Она́ занима́ется Эллочкой!

– Тогда́ … в сле́дующее воскресе́нье.

– Ну ла́дно!

**2** **Complétez avec un verbe de déplacement simple.**

**1.** Анато́лий Плато́нович во́зит тури́стов на экску́рсии. → Тури́сты … на экску́рсии.

**2.** За́втра Анато́лий Плато́нович ведёт Ви́тю к врачу́. → За́втра Ви́тя … к врачу́.

**3.** Ма́ма Ви́ти ча́сто во́дит дете́й в парк. → Де́ти ча́сто … в парк.

**4.** Сего́дня Анато́лий Плато́нович везёт францу́зских шко́льников в Но́вгород. → Сего́дня францу́зские шко́льники … в Но́вгород.

## СЛОВАРЬ ЛЕГКО И ПРОСТО

**1** **Observez puis complétez ces deux listes avec les noms que vous avez appris.**

**ж)** Пло́щадь, дверь, тетра́дь…

**м)** Медве́дь, календа́рь, портфе́ль…

**2** **Observez puis transformez selon le modèle.**

 у́тро    день    ве́чер    ночь

**а)** 21 ч. → **б)** Это бы́ло в де́вять часо́в ве́чера.

18 ч. • 3 ч. • 11 ч. • 23 ч. • 6 ч. • 16 ч. • 9 ч. • 1 ч. • 17 ч.

**3** **Chassez l'intrus dans chaque colonne.**

| | | | | |
|---|---|---|---|---|
| почтальо́н | жена́ | бал | секу́нда | земля́ |
| соба́ка | же́нщина | танцева́ть | век | уса́дьба |
| ло́шадь | жени́ться | свобо́да | час | име́ние |
| ко́шка | вы́йти за́муж | ба́льная кни́жка | де́тство | поме́щик |
| жира́ф | муж | му́зыка | день | па́мятник |

**4** **Classez les compléments circonstanciels en trois catégories (temps, lieu, manière).**

Всю жизнь • в двух шага́х • в про́шлом году́ • тяжело́ • ско́ро • на не́сколько дней • пря́мо • неда́вно • прекра́сно • в уса́дьбу • наза́д • пото́м • тепе́рь • вку́сно • туда́ • хорошо́ • ка́ждый день • интере́сно • нале́во • бы́стро • пло́хо • в XVIII ве́ке • в оди́н день • домо́й.

# ДАВАЙТЕ поговорим о жизни людей!

## Биографическая справка

| | |
|---|---|
| **Фамилия:** | Его / её звали… |
| **Имя:** | … |
| **Отчество:** | … |
| **Дата рождения:** | Он родился / она родилась в … году. |
| **Место рождения:** | Москва, Алжир, Мадрид… |
| **Родной язык:** | Русский, французский, немецкий… |
| **Характер:** | Весёлый… |
| **Муж / жена:** | Он женат. Она замужем. |
| **Дети:** | Двое / трое… детей. |
| **События жизни:** | Он женился, она вышла замуж, родился сын, родилась дочка, он начал работать в (на)…, он ушёл (он уехал), он эмигрировал… Однажды он получил письмо… |
| **Дата смерти:** | Он умер / она умерла в… году. |

– Расскажи мне о своей прабабушке.

– Её звали Зинаида. Она родилась в России в 1901 году.

– Значит у тебя русские корни?

– Да, но в детстве я с ней по-русски не говорила. Я начала учить русский в школе.

– А когда она эмигрировала во Францию?

– В 1922 году. Она приехала туда с одним чемоданчиком. Вначале было тяжело, конечно, но она была с мужем. Потом родились дети…

– Она давно умерла?

– Десять лет назад.

**1** Составьте биографическую справку о человеке, которого вы знаете, или о котором вы слышали.

**2** Как вы себе представляете жизнь людей, которых вы видите на фотографии.

*Кисловодскъ, 1915*

Крестья́не и дворя́не

◈ Indiquez à quelle photo correspond chaque titre.

а. Обе́д в по́ле.  б. Крестья́нские де́ти.  в. У самова́ра.  г. Пра́здник в дере́вне.  д. Крестья́нка продаёт молоко́.  е. У це́ркви.  ж. Пикни́к.

# Урок 6 A
## ОДИН ДЕНЬ В ОБЩЕЖИТИИ

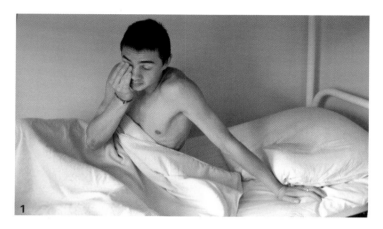

# ПОХОД НА ОЗЕРО СЕНЕЖ

>> Мара́т предложи́л Анне пойти́ с ним в похо́д на о́зеро Сéнеж[1].

**Анна:** Мара́т, во ско́лько мы за́втра уезжа́ем и отку́да? Ты мне дашь а́дрес?

**Мара́т:** Авто́бус бу́дет нас ждать у метро́ Арба́тская в семь утра́.

**Анна:** Ты мо́жешь мне позвони́ть в шесть? А то я не вста́ну...

**Мара́т:** Хорошо́, я тебе́ позвоню́.

**Анна:** А ско́лько челове́к нас бу́дет?

**Мара́т:** Челове́к во́семь – де́сять. Мы с тобо́й, Анто́н, его́ друзья́ с физфа́ка и ещё ребя́та с на́шего факульте́та.

**Анна:** Хо́чешь, я пригото́влю бутербро́ды?

**Мара́т:** Спаси́бо, не на́до – бу́дут шашлыки́. Анто́н с друзья́ми уже́ занима́ются мя́сом. А напи́тки ку́пим на ме́сте.

**Анна:** Хорошо́. Тогда́ я возьму́ францу́зский со́ус «Беарне́з»

**Мара́т:** Су́пер! Ну, пока́. До за́втра.

| Это мой друг. | Это мои́ друзья́. |
|---|---|

1. Le lac Senej est situé à 50 km au nord de Moscou.

## ВОПРОСЫ И ЗАДАНИЯ

**1** На чём они́ пое́дут на озе́ро? С кем? Что они́ бу́дут гото́вить? Что предлага́ет Анна?

## ПРАКТИКА

**2 Что де́лал Макси́м в пе́рвые дни неде́ли?**

| В понеде́льник | Во вто́рник |
|---|---|
| 08:00 Он встал в 8 часо́в. | 07:30 ... |
| 09:00 Он пришёл в реда́кцию в ... | 08:30 ... |
| 11:00 Он уе́хал в командиро́вку в ... | 10:00 ... |
| 19:00 Он пришёл домо́й в ... | 18:00 ... |
| 22:00 Он лёг спать ра́но. | 01:00 ... |

**3 Продолжа́йте по образцу́:** а) слы́шать / услы́шать. → б) я слы́шу / я услы́шу

**1.** смотре́ть / посмотре́ть. **2.** гото́вить / пригото́вить. **3.** писа́ть / написа́ть. **4.** брать / взять. **5.** уезжа́ть / уе́хать. **6.** покупа́ть / купи́ть. **7.** предлага́ть / предложи́ть. **8.** приходи́ть / прийти́. **9.** продава́ть / прода́ть. **10.** встава́ть / встать.

## О себе

**4** Во ско́лько вы вста́ли сего́дня? Во ско́лько вы поза́втракали сего́дня? Во ско́лько вы вста́нете за́втра? В суббо́ту? В воскресе́нье? Во ско́лько вы встаёте на кани́кулах? Во ско́лько вы ло́житесь спать на кани́кулах?

# урок 6B
## КАКОЙ ОТДЫХ ЛЮБИТ МОЛОДЁЖЬ?

**Студенческий форум Физфака МГУ**

User name [ ] GO

> Общий > Всё обо всём > отдых      Какой отдых вы предпочитаете?

| | |
|---|---|
| **Ведьма** | 25 октября 2005 – 9:54 |
| Хочу в баню!!! Не в сауну, а в баню! ☺ | |
| **Vilfred** | 25 октября 2005 – 9:58 |
| В какую? в общественную или у друзей ? | |
| **Ведьма** | 25 октября 2005 – 10:49 |
| Ну конечно, лучше у друзей. А потом попить чаю... | |
| **Monster** | 25 октября 2005 – 20:51 |
| Или пива с креветками.Это просто супер! | |
| **SnowGuitar** | 25 октября 2005 – 21:24 |
| А по-моему, лучше дачи ничего нет. ☺ | |
| **Vilfred** | 25 октября 2005 – 21:58 |
| Я тоже предпочитаю отдых на даче. Эх, хорошо в деревне! ☺ | |
| **Танкист** | 26 октября 2005 – 8:33 |
| На дачу!!! ураа!!! | |
| **Ведьма** | 26 октября 2005 – 21:34 |
| Да ты что, посмотри в окно — там же холодно... Предлагаю пойти в боулинг на Петровке. | |
| **Dancemaster** | 26 октября 2005 – 21:46 |
| А мне больше нравится бильярд. Вот классный отдых. Кто знает, где недалеко хороший клуб? | |

| | |
|---|---|
| Я предпочитаю рок-музыку. = Мне больше нравится рок-музыка. | лучше ≠ хуже больше ≠ меньше |

## ВОПРОСЫ И ЗАДАНИЯ

**1** Кому нравится баня? Кому нравится отдых в деревне? Кому нравится боулинг? Кому нравится бильярд?

## ПРАКТИКА

**2 Отвечайте по образцу :**   **а)** Ты прочитал письмо?    → **б)** Да, я прочитал всё письмо.

**1.** Ты позвонил своим подругам? **2.** Ты познакомился с новыми учениками? **3.** Ты посмотрел фотографии? **4.** Ты прочитал газету? **5.** Он выпил бутылку колы? **6.** У этих учеников есть компьютеры? **7.** Ты любишь русских музыкантов? **8.** Ученик ответил на вопросы преподавателя?

**3 Работа в парах.**

Спросите товарища, нравятся ли ему балет, театр, футбол, история, рэп...

Он вам ответит, что он предпочитает цирк, американские фильмы, игру в шахматы или...

**56**

## Студе́нческий фо́рум Физфа́ка МГУ

User name

GO

> Общий > Всё обо всём > о́тдых        Вы свобо́дны в суббо́ту ве́чером?

**Дарка́р**                                      25 октября́ 2005 — 7:10

Мы – кома́нда шко́лы «Перспекти́ва». Мы приглаша́ем вас на вечери́нку в клуб «Инфинити́в» в суббо́ту 10-го (приглаша́ем всех, не то́лько студе́нтов). Клуб нахо́дится о́коло ста́нции «Арба́тская». Нача́ло в 23:30. Диджéй Карл Кокс, ру́сский рок. Цена́: 300 руб. без фла́ера, 200 с фла́ером.

**Svetikus**                                    25 октября́ 2005 — 15:40

Диджéй Карл Кокс? Это кла́ссно! Я гото́в.

**Wasser**                                       25 октября́ 2005 — 16:34

Ру́сский рок... Чи́стого ро́ка ру́сские не де́лают... Хоро́шее, что де́лается в Росси́и в пла́не рок-му́зыки – де́лается в па́нке, альтернати́ве, иногда́ в мета́лле.

**Carpe diem**                                   25 октября́ 2005 — 18:40

Я не согла́сна с э́тим. Очень люблю́ ста́рый ру́сский рок. На мое́й по́лке почти́ все альбо́мы Али́сы, ДДТ...

**Па́вел**                                        25 октября́ 2005 — 18:55

300 рубле́й? Ребя́та, вы бога́ты. Я не могу́.

**Aborigen**                                     25 октября́ 2005 —19:05

Цена́ норма́льная. Но я люблю́ то́лько джаз и вообще́ не люблю́ танцева́ть.

---

| | |
|---|---|
| Мара́т **предлага́ет** Анне пойти́ в похо́д. | Макси́м **приглаша́ет** Анну танцева́ть. |
| Он ей **предложи́л** купи́ть конфе́ты. | Он её **пригласи́л** в рестора́н. |

## ВОПРОСЫ И ЗАДАНИЯ

**1** Вы захо́дите на э́тот фо́рум. Что вы отвеча́ете Дарка́ру? Вы согла́сны с други́ми студе́нтами?

## ПРАКТИКА

**2 Вы что-то говори́те това́рищу. Он вам отвеча́ет, согла́сен ли он и почему́.**

**а)** На́ша шко́ла о́чень хоро́шая.    → **б)** Я с тобо́й согла́сен (согла́сна) / не согла́сен (не согла́сна). По-мо́ему, она́ о́чень хоро́шая / плоха́я.

**1.** Уро́ки геогра́фии ску́чные. **2.** В буфе́те вку́сно едя́т. **3.** Лео хорошо́ говори́т по-ру́сски. **4.** Учи́тель – э́то хоро́шая профе́ссия. **5.** У нас хоро́шая библиоте́ка.

## 3 Игра́.

Раздели́те класс на две кома́нды. Кома́нды де́лают друг дру́гу предложе́ния, от кото́рых на́до отказа́ться и объясни́ть почему́. За обосно́ванный отка́з кома́нда получа́ет 1 балл. Побежда́ет кома́нда, у кото́рой бо́льше ба́ллов.

**а) Пе́рвая кома́нда:** Дава́йте напи́шем e-mail Дави́ду!    → **б) Втора́я кома́нда:** Мы не мо́жем, компью́тер не рабо́тает.

# НА БЕРЕГУ ОЗЕРА

**урок 6 Г**

Вéчером друзья́ сидя́т на берегу́ о́зера. Анто́н и Ксéния пою́т юмористи́ческую пéсенку. Это чи́стая импровиза́ция.

– Идёт уро́к, а я мечта́ю.
Така́я чи́стая мечта́.
Тебя́ я ча́сто вспомина́ю[1],
А ты, навéрно, никогда́!

– Как ты мо́жешь ду́мать так?!
Ты всегда́ в моём мозгу́[2].
Éсли[3] бу́дет гру́стно мне,
Сра́зу тебé позвоню́.

А твоя́ мечта́ небо́сь[4]
Как поéсть да спать пойти́.
Ты мечты́ все э́ти брось[5]
Лу́чше кóфе мне купи́.

– Мóй за́йчик,[6] ты меня́ зна́ешь
Я о́чень тебя́ люблю́.
Но ты и без слов понима́ешь,
Что кóфе тебé не куплю́.

Я хочу́ идти́ домо́й
Спать хочу́ и есть хочу́.
Слу́шать му́зыку с тобо́й
Плéер в у́ши – и лечу́…

1. Я ча́сто вспомина́ю: (ici) je pense souvent à toi. 2. В моём мозгу́: (ici) dans mon esprit.
3. Éсли: si. 4. Небо́сь: sans doute. 5. Брось: laisse tomber.
6. Мóй за́йчик: mon lapin.

## ВОПРОСЫ И ЗАДАНИЯ

**1** По-ва́шему, кто начина́ет дуэ́т? Где он/она́ нахо́дится? Кто ему́/ей отвеча́ет? Что хо́чется а́втору пéсни? Вам нра́вятся слова́ э́той пéсни? Почему́?

## ПРАКТИКА

**2 Отвеча́йте по образцу́: а)** Почему́ ты не спишь? → **б)** Бу́ду спать вéчером.

**1.** Почему́ ты не поёшь? **2.** Почему́ ты не пи́шешь? **3.** Почему́ ты не ешь? **4.** Почему́ ты не репети́руешь? **5.** Почему́ ты не занима́ешься?

**3 Предложи́те друзья́м что-то сдéлать.**

Дава́йте пойдём вéчером на концéрт!
Дава́йте ку́пим Ли́де но́вый альбо́м Земфи́ры!
Дава́йте напи́шем Ива́ну e-mail!
Дава́йте поéдем на уикéнд в Каза́нь!
Дава́йте пригласи́м на вéчер ученико́в из 11-го «Б»!
Дава́йте уви́димся за́втра!

**Они́ не согла́сны.**

Нет, лу́чше в кино́!
Нет, …
Нет, …
Нет, …
Нет, …
Нет, …

## О себе

**4** Вы иногда́ мечта́ете на уро́ках? О чём? Вы ужé писа́ли пéсни?

**58**

## ГДЕ? КУДА? ОТКУДА?

**1 Lisez le texte,
puis dites ce que feront
demain Vitia et ses camarades
de classe.**

Завтра Витя со своим классом
идёт в поход. Вот какую
программу он принёс
родителям:
В 7:40 он пойдёт в школу.

...

| Програ́мма похо́да | |
|---|---|
| 07:45 | Встре́ча у шко́лы. |
| 08:00 | Отъе́зд на авто́бусе на о́зеро Ла́дога. |
| 09:30 | Прие́зд на стоя́нку «Родни́к». Прогу́лка на о́зеро. |
| 12:00 | Пикни́к на о́зере. Отдых на пля́же. |
| 16:00 | Возвраще́ние в ла́герь. Похо́д в лес за дрова́ми для костра́. |
| 18:00 | Приготовле́ние у́жина. Ужин: макаро́ны по-фло́тски, чай и фру́кты. |
| 22:00 | Отбо́й (ночёвка в пала́тках). |
| | Взять с собо́й: пала́тки консе́рвы фру́кты волейбо́льный мяч. |

## СЛОВАРЬ ЛЕГКО И ПРОСТО

**1 Complétez les phrases avec des mots formés sur la même racine que le mot : общий.**

1. Студе́нты живу́т в ... . 2. Я никогда́ не е́зжу на ... тра́нспорте. Я предпочита́ю е́здить на маши́не.
3. Я люблю́ ... с иностра́нцами. Это всегда́ интере́сно.

**2 Complétez le tableau.**

| ... | кла́ссно |
|---|---|
| просто́й | ... |
| споко́йный | ... |
| ... | ве́село |
| ... | гру́стно |
| смешно́й | ... |
| ... | бога́то |
| ... | бе́дно |
| ... | си́льно |
| ... | сла́бо |

**3 Comprenez-vous l'argot des jeunes ?
Reliez les mots à leur équivalent.**

антиквариа́т • • де́ньги
аппара́т • • оте́ц
ба́бки • • миллио́н
ба́за • • симпати́чная де́вушка
блин • • электро́нное письмо́ (e-mail)
лимо́н • • роди́тели
мы́ло • • компа́кт-диск
му́рка • • компью́тер
прико́льно • • кварти́ра роди́тетей и́ли шко́ла
фа́зер • • прекра́сно

# ДАВАЙТЕ поговорим!

**Вам нра́вится и́ли не нра́вится...**

• **Му́зыка**
Класси́ческая му́зыка, джаз, рок (америка́нский, англи́йский, францу́зский, альтернати́вный, мета́лл), рэп, r' N' b', ха́ус, фанк, зук, сул, ре́гге, те́хно ...

• **Спорт**
Футбо́л, баскетбо́л, гандбо́л, волейбо́л, хокке́й, те́ннис, насто́льный те́ннис, лы́жный спорт, сноубо́рд, велосипе́дный спорт, верхова́я езда́, скейтбо́рд, ро́ллеры, карт...

• **Ра́зные и́гры**
Бо́улинг, билья́рд, ролевы́е и́гры...

• **Культу́ра**
Кни́ги (рома́ны, любо́вные рома́ны, мемуа́ры, детекти́вы, фа́нтази, поэ́зия ...)
Теа́тр, бале́т, конце́рты, карао́ке, кино́ (кинокоме́дии, три́ллеры, детекти́вы, ве́стерны, документа́льные фи́льмы, мультфи́льмы, ма́нга, фанта́стика, музыка́льные фи́льмы...).

**1 Приду́майте диало́ги с выраже́ниями:**

Мне нра́вится, мне не о́чень нра́вится, мне совсе́м не нра́вится, мне бо́льше нра́вится / я бо́льше люблю́, я предпочита́ю ...

ДИАЛОГИ

**Тепе́рь вы предлага́ете...**

• Пойдём в кино́!
• Пошли́ обе́дать!
• Ты хо́чешь пойти́ со мной в кино́?
• Хо́чешь, я тебе́ помогу́?
• Ребя́та, предлага́ю вам пойти́ в кино́.
• Мо́жно пойти́ в кино́.
• Мо́жно, я с ва́ми пойду́!
• Ты свобо́ден за́втра ве́чером?
• Я тебя́ приглаша́ю в кино́.
• Ты бу́дешь пить ко́лу?
• Дава́й вы́пьем во́дки!

• Дава́й!
• Пошли́!
• Да, э́то хоро́шая иде́я.
• Дава́й!
• Коне́чно, мы согла́сны!
• Почему́ бы и нет?
• Коне́чно!
• Свобо́ден.
• Нет, спаси́бо, я не могу́.
• Нет, спаси́бо!
• Да ты что! Я не пью.

**2 Приду́майте диало́ги с э́тими выраже́ниями.**

**3 Вам предлага́ют ... Вы согла́сны и́ли нет? Почему́?**

Пойти́ в кино́ посмотре́ть но́вый фильм Спи́льберга • Пойти́ в кино́ посмотре́ть ру́сский фильм • Пойти́ в са́уну • Пойти́ в зоопа́рк • Пойти́ на като́к • Поигра́ть в билья́рд • Поигра́ть в насто́льный те́ннис • Поигра́ть в миниго́льф • Организова́ть пикни́к с това́рищами на берегу́ реки́ и́ли о́зера.

## СТРАНА И ЛЮДИ

# Моско́вский госуда́рственный университе́т (МГУ)

◆ Une institution chargée d'histoire vous est présentée dans les paragraphes et les images qui suivent. Pouvez-vous repérer à quelle photographie correspond chaque paragraphe?

**а.** Снача́ла Моско́вский университе́т находи́лся на Кра́сной пло́щади в ма́леньком двухэта́жном до́ме.

**б.** В 1793 году́ архите́ктор М. Казако́в постро́ил в класси́ческом сти́ле четырёхэта́жное зда́ние университе́та недалеко́ от Кремля́ на Моховой у́лице.

**в.** В 1948 году́ Ста́лин реши́л постро́ить но́вое зда́ние МГУ на Ле́нинских гора́х не ме́нее 20 (двадцати́) этаже́й. Архите́кторы поби́ли все реко́рды: высота́ э́того тридцатиэта́жного зда́ния – 236 (две́сти три́дцать шесть) ме́тров.

**г.** Интерье́р университе́та то́же о́чень интере́сен: бога́тство форм и материа́лов (мра́мор, бро́нза, хруста́ль, парке́т...).

**д.** В январе́ 2005 го́да Моско́вскому университе́ту испо́лнилось 250 лет.

**е.** Это был большо́й пра́здник студе́нтов и профессоро́в университе́та. Студе́нты сде́лали маке́т университе́та ... изо льда!

# Урок 7 A
# ПЕТЕРБУРГ

На на́бережной Невы́

Кана́л Грибое́дова

Не́вский проспе́кт

Дворцо́вая пло́щадь

Васи́льевский о́стров

Зи́мний дворе́ц

Петерго́ф

# ДАША БЕЛЬСКАЯ

➤ *Где же Даша? Она сказала, что будет ждать меня на вокзале у памятника Петру Первому. Вот памятник, о котором она говорила. А где же она?*

В Париже у Анны есть подруга, с которой она раньше училась в лицее. Её зовут Элиз Жиро. Теперь она занимается историей русской культуры. В прошлом году Элиз была на стажировке в Эрмитаже и там она познакомилась и очень подружилась с реставратором Дашей Бельской. Когда Элиз узнала, что Анна едет в Россию, она рассказала ей о Даше. И ещё Элиз хотела послать Даше подарок на день рождения, но не знала, как это сделать. Тогда Анна предложила передать пакет. Когда Анна позвонила из Москвы в Петербург, Даша сразу пригласила её на выходные в Питер и сказала, что будет ждать её на вокзале, покажет ей город и музеи...

*Может быть, это блондинка, которая ест мороженое? Она мне улыбается... Да, это она!*

Я позвонил подруге, **которая** скоро поедет в Петербург.
Это девушка, **которую** вы видели на фотографии.

## ВОПРОСЫ И ЗАДАНИЯ

**1** В этом тексте говорится о трёх девушках. Что вы можете сказать о каждой из них?

## ПРАКТИКА

**2 Знаете ли вы героев «Репортажа» ? Скажите, как зовут:**

**1.** молодого француза, который поехал в Иркутск с Максимом **2.** студентов, которые поют на берегу озера Сенеж **3.** секретаршу, которая работает в редакции журнала «Время» **4.** девушку, которая ждёт Анну в холле вокзала в Петербурге **5.** друга Максима, с которым Анна поехала в поход **6.** женщину, которая эмигрировала после революции.

**3 Вставляйте пропущенные окончания.**

**Борис:** Дай мне, пожалуйста, книгу, котор... лежит там на столе.

**Антон:** Это роман, котор... ты взял вчера в библиотеке?

**Борис:** Да, роман, о котор... нам говорил учитель. И ещё хочу сказать тебе, что это книга, котор... нет даже у твоего отца.

Антон даёт книгу Борису.

**Борис:** Спасибо Антон. Скажи, пожалуйста, в этом романе есть герой, котор... зовут Макс, котор... 9 лет и котор... живёт в лесу?

## О себе

**4 Составляйте фразы об учениках класса. Ваши товарищи скажут, о ком вы говорите.**

Это мальчик, который жил в Англии. Кто это? Это девочка, с которой дружит Этьен. Кто это?

# ПЁТР I ВЕЛИКИЙ (1672-1725)

*Кремль при Петре́ I*

Пётр I Рома́нов роди́лся 30 ма́я 1672 го́да в моско́вском Кремле́. Его́ оте́ц, царь Алексе́й Миха́йлович, у́мер, когда́ Петру́ бы́ло 4 го́да. На
5 престо́л тогда́ претендова́ли[1] его́ ста́ршие бра́тья: пятнадцатиле́тний Фёдор и десятиле́тний Ива́н. Поэ́тому ма́ленький Пётр до́лго ждал своего́ ча́са. Это был о́чень у́мный, энерги́чный и любозна́тельный ма́льчик. Как все де́ти он игра́л с друзья́ми, учи́лся.
10 Он ви́дел та́кже кремлёвские интри́ги, стра́шные сце́ны борьбы́ за власть[2], смерть бли́зких люде́й. Так его́ хара́ктер стал жесто́ким и деспоти́чным.

Ещё в Москве́ он познако́мился с иностра́нцами, кото́рые расска́зывали ему́ о други́х стра́нах, о моря́х
15 и океа́нах. Они́ научи́ли его́ стро́ить ма́ленькие корабли́ и пла́вать на них. У них он научи́лся говори́ть по-голла́ндски и по-неме́цки.

Когда́ его́ бра́тья у́мерли, Пётр стал царём всего́ Моско́вского ца́рства. И пе́рвое, что он сде́лал – в 1697 году́ пое́хал за грани́цу. Пра́вда, по ста́рой
20 правосла́вной тради́ции цари́ не могли́ е́здить в за́падные стра́ны. Но Пётр не люби́л тради́ции. Он хоте́л посмотре́ть, как живу́т в Евро́пе, пригласи́ть в Росси́ю за́падных специали́стов и инжене́ров. Поэ́тому он организова́л большу́ю ру́сскую делега́цию и пое́хал под и́менем[3] Петра́ Миха́йлова. Никто́ не знал, что э́то сам царь[4] Пётр Алексе́евич.

1. Претендова́ть на престо́л: prétendre au trône. 2. Стра́шные сце́ны борьбы́ за власть: de terribles scènes de lutte pour le pouvoir. 3. Под и́менем: sous le nom. 4. Сам царь: le tsar lui-même.

---

Это мои́ бра́тья.   Я люблю́ свои́х бра́тьев.   Я игра́ю со свои́ми бра́тьями.

---

Грани́ца
Я е́ду за грани́цу.   Он живёт за грани́цей.

се́вер
за́пад ✦ восто́к
юг

## ВОПРОСЫ И ЗАДАНИЯ

**1.** В како́м го́роде роди́лся Пётр Пе́рвый?   **2.** Ско́лько бра́тьев бы́ло у Петра́ Пе́рвого? **3.** Ско́лько им бы́ло лет, когда́ у́мер их оте́ц?   **4.** Как вы понима́ете фра́зу: « Ма́ленький Пётр до́лго ждал своего́ ча́са.»?   **5.** Бы́ли ли у Петра́ сёстры?   **6.** Кто ца́рствовал по́сле сме́рти Алексе́я Миха́йловича?   **7.** Что вы узна́ли о хара́ктере Петра́ Пе́рвого?   **8.** Когда́ он стал царём? **9.** Почему́ он пое́хал за грани́цу? **10.** Почему́ он пое́хал в Евро́пу под и́менем Петра́ Миха́йлова?

## ПРАКТИКА

**2 Зако́нчите по смы́слу э́ти фра́зы слова́ми:**
*друзе́й • бра́тьев • иностра́нцев • за́падных специали́стов.*

**1.** Пётр I пригласи́л в Росси́ю … .   **2.** У него́ бы́ло мно́го … .   **3.** Он люби́л … .   **4.** Пётр стал царём по́сле сме́рти … .   **5.** Он учи́лся у … .

## О себе

**3** Бы́ли ли вы за грани́цей? В како́й стране́? Когда́? Где вы там жи́ли?

# ПУТЕШЕСТВИЯ ПЕТРА

Снача́ла э́то был Амстерда́м – удиви́тельный го́род на воде́. Везде́ кана́лы, по кото́рым плыву́т корабли́! Каки́е здесь шко́лы! А магази́ны, где продаю́т экзоти́ческие това́ры[1] со
5 всего́ ми́ра!

В Амстерда́ме Пётр пошёл рабо́тать как просто́й рабо́чий на верфь[2], где стро́или корабли́. А по вечера́м в таве́рнах он пил пи́во, кури́л голла́ндский таба́к и разгова́ривал с моряка́ми и купца́ми[3] со всей Евро́пы.

А. Тоя́ндер, *Пётр I*

10 В Ло́ндоне он интересова́лся вое́нным де́лом в Арсена́ле, фина́нсами на Моне́тном дворе́ и астроно́мией в Гри́нвиче.

В Ве́не он уви́дел, как танцу́ют на бала́х краси́вые молоды́е же́нщины и мужчи́ны, как они́ слу́шают прекра́сную
15 му́зыку и пьют арома́тный ко́фе. А в Кремле́ же́нщины да́же жи́ли в специа́льном до́ме – же́нском те́реме[4] и их никогда́ не ви́дели на ца́рских пра́здниках.

Всё, что ви́дел Пётр в Евро́пе, ему́ о́чень нра́вилось.

«А мы, почему́ мы живём не так? Почему́ у нас нет таки́х школ и корабле́й, таки́х арти́стов и инжене́ров, таки́х мануфакту́р и городо́в!?»
20 И Пётр реши́л нача́ть стро́ить но́вую Росси́ю. И го́род, кото́рый бу́дет но́вой столи́цей, «окно́м в Евро́пу». Конча́ется ста́рый век, начина́ется но́вый, восемна́дцатый, и Росси́я восемна́дцатого ве́ка бу́дет европе́йской страно́й.

1. Экзоти́ческие това́ры: des marchandises exotiques. 2. Верфь (f.): chantier naval. 3. Моряки́ и купцы́: des marins et des marchands. 4. Те́рем: partie réservée aux femmes dans la maison des boyards ou les palais.

---

Э́ти корабли́ пла́вают по всему́ ми́ру.
Куда́ плывёт э́тот кора́бль?

Пётр начина́ет стро́ить но́вый го́род.
Начина́е**тся** но́вый век.

---

## ВОПРОСЫ И ЗАДАНИЯ

**1** В каки́е стра́ны е́здил Пётр? Что ему́ понра́вилось в Амстерда́ме? В Ло́ндоне? В Ве́не? Чем он увлека́лся?

## ПРАКТИКА

**2** **Продолжа́йте по образцу́:** **а)** Учи́тель на́чал уро́к в 8 часо́в.

→ **б)** Уро́к начался́ в 8 часо́в.

**1.** Футболи́сты на́чали игру́ в 2 часа́. **2.** Музыка́нты на́чали конце́рт по́сле у́жина. **3.** Рабо́чий ко́нчил рабо́ту по́здно ве́чером. **4.** Журнали́сты на́чали диску́ссию в час. **5.** Шахмати́сты ко́нчили па́ртию в 4 часа́. **6.** В 1700 году́ Пётр на́чал Се́верную войну́.

**3** **Как вы ду́маете, в Моско́вском ца́рстве мо́жно и́ли нельзя́ бы́ло...**

– поме́щикам продава́ть крепостны́х ?
– кури́ть таба́к?
– пить ко́фе?
– же́нщинам танцева́ть на балу́?
– изуча́ть медици́ну?

– жени́ться на иностра́нцах?
– царю́ е́здить за грани́цу?
– чита́ть кни́ги?
– ходи́ть в ба́ню?
– ходи́ть в це́рковь?

## О себе

**4** Что мо́жно и что нельзя́ де́лать в ва́шей шко́ле?

# С ДНЁМ РОЖДЕНИЯ!

» Всё было удивительно для Анны на дне рождения у Даши: и квартира, в которой она живёт, и гости, которые пришли её поздравить.

Сначала Анна удивилась, когда Даша сказала о женщине, которая открыла им дверь: «Это тётя Нина, наша соседка по квартире».

**Анна:** Соседка?

**Даша:** Да, соседка: квартира у нас коммунальная и живут в ней три семьи.

**Анна:** Значит, есть ещё коммунальные квартиры?

**Даша:** Да, есть. В советское время таких квартир, конечно, было больше, но в старом центре города они ещё есть.

» И за столом тоже сидела удивительная компания: люди старые и молодые, родители и гости, коллеги по работе и соседи по квартире.

– С днём рождения тебя, доченька! Желаем тебе здоровья, счастья и любви!

**Анна** (*про себя*): Так... это говорит отец Даши. Мальчик справа от него – это младший брат Даши. Женщина, которая сидит слева, это соседка по квартире...

– Тихо, тихо! Предлагаю тост за родителей.

**Анна** (*про себя*): А это Виктор, друг Даши. Я с ним познакомилась сегодня, когда мы обедали в кафе на Невском.

– Давайте выпьем за здоровье Инны Ароновны и Владлена Петровича и поздравим их с такой замечательной дочкой!

А потом было ещё много тостов и песен. Пили, конечно, и за дорогую гостью из Парижа – за Аню!

| Поздравляю **тебя** с днём рождения! | Желаю **тебе** здоровья! |

## ВОПРОСЫ И ЗАДАНИЯ

**1 Продолжайте пересказ.**

Когда Даша позвонила в дверь, им открыла ... . Это была ... . Анна удивилась и спросила, ... .

## ПРАКТИКА

**2 Как понять, кто есть кто? Продолжайте фразы.**

a) Даша – это девушка, ... .  → б) Даша – это девушка, у которой сегодня день рождения.

**1.** Отец Даши – это мужчина, ... . **2.** Младший брат Даши – это мальчик, ... . **3.** Соседка по квартире – это женщина, ... . **4.** Виктор – это ... .

**3 Продолжайте по образцу:** **a)** Квартира Даши удивила Анну.

→ **б)** Анна удивилась квартире Даши.

**1.** Гости удивили Анну. **2.** Архитектура Петербурга удивила Анну. **3.** Тосты удивили Паскаля. **4.** Русские традиции удивили Паскаля. **5.** История семьи Анны удивила Максима.

## О себе

**4 Придумайте тосты за здоровье друзей и близких.**

## ГДЕ? КУДА? ОТКУДА?

**1 Choisissez le verbe de déplacement qui convient.**

Жóре, брáту Вúти, 22 гóда. Лéтом он рабóтает на корáбле. Сейчáс он покáзывает родúтелям и Вúте фотогрáфии и расскáзывает о плáвании на корáбле.

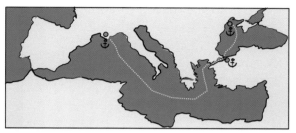

**1.** В ию́ле мы … из Одéссы в Нúццу.
(плáвали, плы́ли, поплы́ли)

**2.** Здесь мы … в Стамбýл.
(éдем, éздим, плывём)

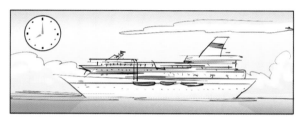

**3.** … мы в 8 часóв утрá.
(поплы́ли, плы́ли, плáвали)

**4.** В 16 часóв мы … Стамбýл. Там
(уплы́ли, уплывáем, приплы́ли)
у пассажúров былá экскýрсия по гóроду.

**5.** Здесь пассажúры … в бассéйне.
(плывýт, плáвают, приплывáют)

---

плáвать
приплывáть, уплывáть, переплывáть...

---

## СЛОВАРЬ ЛЕГКО И ПРОСТО

**1 Savez-vous d'où vient le mot царь ? Cherchez 3 mots ayant la même racine.**

**2 Les noms que vous devez trouver désignent des personnes. Lesquelles ?**

**1.** Человéк, котóрого вы приглаcúли: … . **2.** Человéк, с котóрым вы рабóтаете: … . **3.** Человéк, котóрый живёт в вáшем дóме: … . **4.** Мать вáшей бáбушки úли вáшего дéдушки: … . **5.** Сестрá вáшей мáмы úли вáшего пáпы: … . **6.** Брат вáшей мáмы úли вáшего пáпы: … . **7.** Ваш брат, котóрый родúлся пóсле вас: … . **8.** Вáша сестрá, котóрая родилáсь до вас: … . **9.** Сын вáшего брáта úли вáшей сестры́: … .

**3 Citez un mot – nom ou verbe – formé sur la même racine que chacun des adjectifs ci-dessous.**

зúмний • лéтний • ýмный • зáпадный • удивúтельный • воéнный • музыкáльный • культýрный • свобóдный • крестья́нский • профéссорский • прáздничный • спáльный • сидя́чий • мужскóй

**4 Comment sont formés les adjectifs десятилéтний et любознáтельный ?**

# ДАВАЙТЕ поздравим друг друга!

**Официальные праздники (выходные дни)**

- Новый год (1 и 2 января)
- Рождество (7 января)
- Международный женский день (8 марта)
- Праздник Пасхи
- Праздник весны и труда (1-2 мая)
- День Победы (9 мая)
- День России (12 июня)
- День народного единства (4 ноября)

**И ещё празднуют...**

- 1-ое сентября: начало учебного года
- День Конституции Российской Федерации (12 декабря)
- Хэллоуин
- День Святого Валентина

**и**
- Новоселье
- День рождения

**1** Смотрите на эти поздравительные открытки и продолжайте по образцу.

**а)**  → **б)** Поздравляю с Новым годом!

- Здравствуй(те)! Привет! Доброе утро! Добрый день! Добрый вечер!
- Как у тебя (у вас) дела? Как жизнь? Как живёшь (живёте)?

- Спокойной ночи!
- До свидания! Пока! До завтра!
- До пятницы! Всего доброго! Всего хорошего! Всего!
- Счастливо!

**2** Придумайте короткие диалоги с этими выражениями.

# Пётр Великий

◀▷ De nombreux monuments et musées célèbrent la figure de Pierre le Grand. Rapportez chacune des images au texte de commentaire qui lui correspond.

**а.** В 1997 году поставили в Москве огромный памятник Петру Великому на Москве-реке.

**б.** Памятник Петру в Петербурге сделал французский скульптор Фальконе. Он стоит на Сенатской площади.

**в.** «Где же Даша? Она сказала, что будет ждать меня на вокзале у памятника Петру Первому».

**г.** В этом кабинете работал Пётр I. Это его письменный стол.

**д.** В 1991 году поставили в Петербурге новый памятник Петру. Император сидит в кресле.

1

3

4

5

# Урок 8 A
## ЧЕЛОВЕК
## И ЕГО ТЕЛО

# САМЫЙ ПЕРСПЕКТИВНЫЙ РОССИЙСКИЙ ДИЗАЙНЕР

» Анна уже́ подружи́лась со свое́й ру́сской сосе́дкой и с италья́нской студе́нткой из Мила́на. Ксе́ния и Лау́ра – са́мые симпати́чные де́вушки общежи́тия. Сейча́с они́ вме́сте сидя́т в ко́мнате о́тдыха, разгова́ривают о мо́де.

**Лау́ра**: Весно́й в Мила́не была́ неде́ля мо́ды. Я была́ на пока́зе зи́мней колле́кции ва́шего дизайнера Валенти́на Юда́шкина. Мне о́чень понра́вилось.

**Анна**: Пе́рвый раз слы́шу о нём. Он изве́стный?

**Ксе́ния**: Да, изве́стный. Мне ка́жется, что сего́дня э́то са́мый перспекти́вный росси́йский дизайнер.

**Лау́ра**: Я слы́шала, что у него́ тепе́рь есть ли́ния джи́нсов, но на пока́зе я их не ви́дела.

**Анна**: Я о́чень хочу́ посмотре́ть!

**Ксе́ния**: Посмотре́ть мо́жно, а купи́ть, вряд ли! Его́ оде́жда о́чень дорога́я!

|  |  |
|---|---|
| дорого́й | до́рого |
| ≠ | |
| недорого́й | недо́рого |
| дешёвый | дёшево |

## ВОПРОСЫ И ЗАДАНИЯ

**1** Из каки́х стран Анна, Лау́ра, Ксе́ния?
Где они́ сейча́с живу́т? Что вы узна́ли о Валенти́не Юда́шкине?

## ПРАКТИКА

**2 Как вы ду́маете, како́й отве́т пра́вильный?**

**1. Са́мый пе́рвый фильм был снят:**
а) в 1859 году́.
б) в 1869 году́.
в) в 1888 году́.

**2. Са́мое большо́е о́зеро в ми́ре:**
а) Титика́ка.
б) Байка́л.
в) Жене́вское о́зеро.

**3. Са́мая больша́я «ко́шка» в ми́ре:**
а) Уссури́йский тигр.
б) Инди́йский тигр.
в) Африка́нский тигр.

**4. Са́мый большо́й заво́д в ми́ре:**
а) «Ко́ка-Ко́ла» в Атла́нте.
б) «Со́ни» в Япо́нии.
в) «Фолксва́ген» в Герма́нии.

**5. Са́мый акти́вный шахмати́ст всех времён:**
а) Ка́рпов.
б) Алёхин.
в) Каспа́ров.

**6. Са́мый высо́кий дом нахо́дится:**
а) в Чика́го.
б) в Монреа́ле.
в) в Куа́ла-Лумпу́ре.

Отве́ты : 1-в, 2-б, 3-а, 4-в, 5-в, 6-в.

## О себе

**3** Кто са́мый высо́кий в ва́шем кла́ссе? Са́мый молодо́й ? Са́мый акти́вный? Са́мый весёлый? Са́мый си́льный по физкульту́ре? А в ва́шей семье́?...

# урок 8B

## КТО ИЗВЕСТНЕЕ?

**Лев Никола́евич Толсто́й**

(1828 г., Ясная Поля́на – 1910 г., Аста́пово)

Вели́кий ру́сский писа́тель. Са́мые изве́стные рома́ны – «Война́ и мир» и «Анна Каре́нина». Писа́л о семье́, любви́, войне́, рели́гии … Занима́лся социа́льными пробле́мами.

**Макси́м Го́рький (Алексе́й Макси́мович Пе́шков)**

(1868 г., Ни́жний Но́вгород – 1936 г., Москва́)

Ру́сский сове́тский писа́тель. Написа́л автобиографи́ческие кни́ги: «Де́тство», «В лю́дях», «Мои́ университе́ты». Са́мая изве́стная пье́са – «На дне»[1], са́мый изве́стный рома́н – «Мать».

**Авдо́тья Андре́евна Смирно́ва** (род. 1969 г., Москва́)

Око́нчила филологи́ческий факульте́т МГУ. Сценари́стка («Дневни́к его́ жены́», «Прогу́лка»), веду́щая ток-шо́у кана́ла «НТВ» «Шко́ла злосло́вия»[2].

**Татья́на Ники́тична Толста́я** (род. 1951 г., Ленингра́д)

Популя́рная ру́сская писа́тельница. За рома́н «Кысь» получи́ла пре́мию «Триу́мф». Веду́щая переда́чи телекана́ла «НТВ» «Шко́ла злосло́вия».

1. «На дне»: «Les bas fonds». 2. «Шко́ла злосло́вия»: «L'école de la médisance».

| светле́е ≠ темне́е | моло́же ≠ ста́рше | вы́ше ≠ ме́ньше / ни́же | бо́льше ≠ ме́ньше |
|---|---|---|---|

## ВОПРОСЫ И ЗАДАНИЯ

☐ **1.** Как вы ду́маете, как давно́ бы́ли сде́ланы э́ти фотогра́фии? **2.** Кто здесь ста́рше? Кто моло́же? Кто вы́ше? **3.** Кто в крестья́нском костю́ме? Кто в кра́сном сви́тере ? Кто в тёмном пальто́?

## ПРАКТИКА

☐ **Отвеча́йте по образцу́:**    **а)** Макси́м у́мный. А его́ сестра́?    → **б)** Она́ ещё умне́е.

**А 1.** Кра́сная икра́ вку́сная. А чёрная? **2.** Эта карти́на краси́вая. А э́та? **3.** Газе́та интере́сная. А журна́л? **4.** Эта ко́мната све́тлая. А ку́хня? **5.** Паска́ль си́льный. А Макси́м?

**Б 1.** Макси́м бе́гает бы́стро. А Паска́ль? **2.** Анна говори́т ме́дленно. А Лау́ра? **3.** Ве́ра приезжа́ет ча́сто. А На́стя? **4.** Вале́ра ест мно́го. А Макси́м? **5.** Мои́ джи́нсы сто́ят до́рого. А твой?

☐ **Продолжа́йте по образцу́: а)** Макси́м вы́ше сестры́. → **б)** Макси́м вы́ше, чем его́ сестра́.

**1.** Ксе́ния ста́рше Анны. **2.** Москва́ бо́льше Петербу́рга. **3.** Лау́ра вы́ше Ксе́нии. **4.** Неме́цкий язы́к трудне́е англи́йского. **5.** Эти джи́нсы доро́же мои́х. **6.** Лев Толсто́й изве́стнее Ива́на Гончаро́ва. **7.** Это упражне́ние про́ще пе́рвого. **8.** В э́том году́ уро́ки францу́зского интере́снее уро́ков англи́йского.

## О себе

☐ Вы ста́рше и́ли моло́же сестры́ / бра́та? Вы вы́ше и́ли ме́ньше дру́га / подру́ги? Кто сильне́е по францу́зскому языку́, вы и́ли ваш сосе́д / ва́ша сосе́дка? По како́му предме́ту вы сильне́е? Что для вас в шко́ле интере́снее? Где у вас бо́льше друзе́й? В шко́ле? В райо́не, где вы живёте? В друго́м ме́сте?

# КАК ОНИ ОДЕТЫ?

| | |
|---|---|
| **Что** на нём? | На нём **руба́шка и джи́нсы**. |
| **В чём** он? | Он **в руба́шке и джи́нсах**. |
| **Во что** он одёт? | Он оде́т **в руба́шку и джи́нсы**. |

| |
|---|
| Как они́ оде́ты? |
| Хорошо́, пло́хо, элега́нтно, тепло́ … |

## ВОПРОСЫ И ЗАДАНИЯ

**1** Посмотри́те на фотогра́фии и скажи́те, во что они́ оде́ты.

## ПРАКТИКА

**2 Продолжа́йте по образцу́: а)** Он в чёрном костю́ме.

→ **б)** На нём чёрный костю́м. Он оде́т в чёрный костю́м.

**1.** Она́ в ю́бке и ма́йке. **2.** Он в голубо́й пижа́ме. **3.** Они́ в бе́лых джи́нсах. **4.** Он в спорти́вном костю́ме. **5.** Она́ в зи́мнем пальто́. **6.** Он в тёмном смо́кинге.

### О себе

**3** В чём вы хо́дите в шко́лу? В чём вы хо́дите в теа́тр? В чём вы хо́дите в парк? В чём вы хо́дите на вечери́нки?

**4** Сего́дня в шко́ле карнава́л. В чём вы пойдёте туда́?

# КАКИЕ ДЖИНСЫ КРАСИВЕЕ?

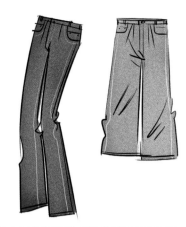

» **Ксéния:** Дéвушка, у вас есть джи́нсы от Юдáшкина?

**Продавщи́ца:** Есть. Пойдёмте, я вам покажу́. У нас есть две модéли. Эти – у́зкие, а э́ти – ши́ре. Посмотри́те. Каки́е вам бóльше нрáвятся?

**Анна:** Я предпочитáю у́зкие джи́нсы. Они́ у вас с какóй тáлией?

**Продавщи́ца:** У нас тóлько с ни́зкой тáлией.

**Лау́ра:** А другóго цвéта есть у вас?

**Продавщи́ца:** К сожалéнию нет. В э́том году́ тёмные тонá моднéе, чем свéтлые.

**Ксéния:** Прáвда? Я ду́мала наоборóт.

**Анна:** Мне кáжется, что си́ние краси́вее, чем голубы́е.

**Ксéния:** А скажи́те, скóлько они́ стóят?

**Продавщи́ца:** 1500 рублéй.

**Анна:** Спаси́бо. Я ещё поду́маю.

---

ДЕНЬГИ

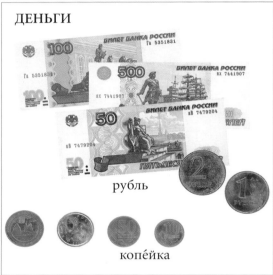

рубль

копéйка

---

|  |  |  |
|---|---|---|
| у́зкий | ≠ | широ́кий |
| коро́ткий | ≠ | дли́нный |

---

Тёмные тонá моднéе, чем свéтлые.
Тёмные тонá моднéе свéтлых.

---

## ВОПРОСЫ И ЗАДАНИЯ

**1** Каки́е джи́нсы продаю́тся в э́том магази́не?

## ПРАКТИКА

**2 Продавщи́ца отвечáет на ваш вопрóс. Продолжáйте по образцу́:**

   **а)** У вас есть чёрная икрá?  → **б)** К сожалéнию, у нас тóлько крáсная.

**1.** У вас есть крáсные ви́на? **2.** У вас есть нóвые модéли? **3.** У вас есть дешёвые ру́чки? **4.** У вас есть дли́нные ю́бки? **5.** У вас есть больши́е тетрáди? **6.** У вас есть у́зкие джи́нсы?

**3 Продолжáйте по образцу́:**  **а)** Большóй стол.
                            → **б)** Больши́е столы́.

**1.** Краси́вый кабинéт. **2.** Свéтлый тон. **3.** Интерéсный гóрод. **4.** Большóй медвéдь. **5.** Стáрый друг. **4.** Умный человéк. **5.** Тёмный цвет. **6.** Ру́сский крестья́нин. **7.** Хорóший ребёнок. **8.** Молодóй учи́тель. **9.** Золотóй ку́пол. **10.** Высóкий дом. **11.** Дли́нный пóезд. **12.** Мáленький óстров.

## О себе

**4** Каки́е джи́нсы вам нрáвятся? Каки́е цветá вы лю́бите?

# ГДЕ? КУДА? ОТКУДА?

**1** **Complétez avec un verbe de déplacement (simple ou avec préverbe).**

Ви́те тепе́рь хорошо́ в но́вой шко́ле. Ему́ уже́ не хо́чется … из кла́сса и … домо́й. Ему́ нра́вятся шко́ла и но́вые това́рищи. Он подружи́лся не то́лько с Зо́ей, но и с Бо́рей и Фе́дей. Сего́дня он у Фе́ди на да́че. Оте́ц Фе́ди … их туда́ на маши́не. … они́ из маши́ны, … в дом, взя́ли коньки́ и сра́зу … на о́зеро. Ма́ма Фе́ди кри́кнула: «Не беги́те!». Но ма́льчики о́чень лю́бят … . Смотри́, – сказа́л Фе́дя, когда́ они́ …, – ви́дишь ма́ленький дом? Там живёт моя́ тётя И́нна. Мы к ней … по́сле о́зера. У неё есть мно́го свине́й. Хо́чешь посмотре́ть?

# СЛОВАРЬ ЛЕГКО И ПРОСТО

**1** **Trouvez les antonymes.**

**А. 1.** тёмный. **2.** высо́кий. **3.** у́зкий. **4.** дли́нный. **5.** большо́й. **6.** дорого́й. **7.** молодо́й. **8.** плохо́й. **9.** после́дний. **10.** гражда́нский.

**Б. 1.** веселе́е. **2.** вы́ше. **3.** ста́рше. **4.** доро́же. **5.** ху́же. **6.** бо́льше. **7.** коро́че. **8.** светле́е. **9.** быстре́е. **10.** ши́ре.

**2** **Quels adjectifs (liste 2) peuvent qualifier les noms qui suivent (liste 1) ?**

**1.** Общежи́тие • диза́йнер • день • напи́ток • костю́м • ме́сто • виолонче́ль • колле́кция • зда́ние • джи́нсы • сосе́дка • отве́т • шо́рты • оригина́л • програ́мма • бульва́р • по́езд • прое́кт • реа́кция • чемода́н.

**2.** Дорого́й • пра́вильный • широ́кий • родно́й • интере́сный • большо́й • но́вый • тяжёлый • коро́ткий • си́ний • шко́льный • моско́вский • бе́дный • друго́й • идеа́льный • дли́нный.

**3** **Utilisez dans chaque cas l'un des trois suffixes -ница, -ка, -щица, pour former les noms féminins correspondants.**

**1.** писа́тель. **2.** сценари́ст. **3.** студе́нт. **4.** чита́тель. **5.** учи́тель. **6.** шко́льник. **7.** прия́тель. **8.** племя́нник. **9.** поме́щик. **10.** аристокра́т. **11.** журнали́ст. **12.** сосе́д. **13.** пассажи́р. **14.** продаве́ц.

**4** **Retrouvez les infinitifs imperfectifs des verbes qui suivent. Classez-les en trois catégories en fonction de leurs suffixes.**

**1.** рассказа́ть. **2.** назва́ть. **3.** узна́ть. **4.** оста́вить. **5.** проигра́ть. **6.** прода́ть **7.** удиви́ть. **8.** показа́ть.

# ДАВАЙТЕ поговорим об одёжде!

БАНК СЛОВ

**одёжда**
- ю́бка
- пла́тье
- руба́шка
- сви́тер
- брю́ки
- ма́йка / футбо́лка / топ
- джи́нсы
- шо́рты
- пальто́
- ку́ртка
- пижа́ма
- смо́кинг
- спорти́вный костю́м
- купа́льный костю́м / пла́вки

**головны́е убо́ры**
- шля́па
- ша́пка
- ке́пка

**о́бувь**
- ту́фли
- боти́нки
- ке́ды
- кроссо́вки
- босоно́жки
- сапоги́

---

БАНК СЛОВ

- бе́лый ☐
- чёрный ■
- кра́сный ■
- зелёный ■
- жёлтый ☐
- голубо́й ☐
- си́ний ■

- се́рый ■
- кори́чневый ■
- ро́зовый ■
- фиоле́товый ■
- ора́нжевый ■
- бе́жевый ■

- но́вый
- дешёвый
- дорого́й
- краси́вый

- элега́нтный
- просто́й
- мо́дный
- старомо́дный

---

ДИАЛОГИ

– Де́вушка, покажи́те мне э́ту зелёную ю́бку.
– Пожа́луйста.
– А друго́го цве́та нет у вас?
– У нас есть и си́ние.

– Ты посмотри́! Лю́да опя́ть купи́ла себе́ пальто́!
– Да, ну и что? Пальто́ хоро́шее. Мне нра́вится.
– А мне ка́жется, что оно́ сли́шком дли́нное, а ю́бка сли́шком коро́ткая.
– Вот ещё! Она́ всегда́ прекра́сно оде́та!

– Молодо́й челове́к, вы не ска́жете, где отде́л мужско́й одёжды?
– На второ́м этаже́.
– А о́бувь?
– То́же на второ́м.

– Как тебе́ нра́вятся кра́сные кроссо́вки Ни́ны?
– Не о́чень. Я предпочита́ю её се́рые кроссо́вки.
– А её но́вая ку́ртка?
– Руба́шка су́пер!

**1** Приду́майте диало́г ме́жду ва́ми и продавцо́м одёжды.

**2** Вы купи́ли но́вую ма́йку (но́вый костю́м, но́вые кроссо́вки...). Вы говори́те об э́той поку́пке с дру́гом и́ли с подру́гой. Соста́вьте диало́г.

# СТРАНА И ЛЮДИ

## Магази́ны, магази́ны...

◆ Dans quels magasins irez-vous faire les achats dont il est question ici? Que peut-on y acheter d'autre?

а. Вы хоти́те купи́ть кольцо́.

б. Вы хоти́те купи́ть кни́ги.

в. Вы хоти́те купи́ть но́вый телеви́зор.

г. Вы хоти́те купи́ть биле́т на пое́здку в Англию.

д. Вы хоти́те купи́ть аспири́н.

е. Вы хоти́те купи́ть моби́льный телефо́н.

ж. Вы хоти́те купи́ть ва́зу.

з. Вы хоти́те купи́ть хлеб.

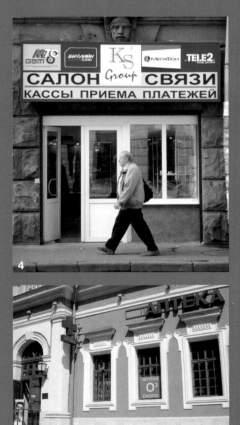

# Урок 9 A
## РУССКАЯ ЗИМА

В тот год осéнняя погóда
Стоя́ла дóлго на дворé,
Зимы́ ждалá, ждалá прирóда.
Снéг вы́пал тóлько в январé
На трéтье в ночь. Проснýвшись рáно,
В окнó увидела Татья́на
Поýтру побелéвший двор...

Алексáндр Пýшкин, *Евгéний Онéгин*
*(Главá пя́тая, I)*

78

# ОТКРЫТИЕ КУЛЬТУРНОГО ЦЕНТРА «ОТРАДНОЕ»

» Анна с друзьями приéхала с вокзáла в Отрáдное сóлнечным зúмним ýтром... на трóйке! Их привёз молодóй дирéктор цéнтра Владислáв Константúнович Дмúтриев. Это был сюрпрúз, котóрый он приготóвил для них. Началóсь путешéствие в прóшлое...

И вот – открытие цéнтра. Анна сидúт в большóм зáле усáдьбы, бывшей гостúной, и слýшает речь Владислáва Константúновича:

» «Открытие культýрного цéнтра «Отрáдное» – это вáжное событие в жúзни нáшей респýблики, всей Россúи.

Мы хотúм, чтóбы к нам приходúла молодёжь и здесь узнавáла истóрию своегó крáя, знакóмилась с культýрой нáшего велúкого нарóда. […]

Я хочý, чтóбы мы вспóмнили об Алексáндре Ивáновиче Полóнском, учёном и поэте, коллекционéре и меценáте, котóрый так мнóго сдéлал для Россúи и остáвил нам это замечáтельное имéние.

А вéчером приглашáю всех на поэтúческий концéрт «Я пóмню сéрдцу мúлый край...».

> О чём идёт речь в этом тéксте?
> Об открытии культýрного цéнтра.

## ВОПРОСЫ И ЗАДАНИЯ

**1** Расскажúте, что вы узнáли о Владислáве Константúновиче Дмúтриеве и об Алексáндре Ивáновиче Полóнском.

## ПРАКТИКА

**2** **Продолжáйте по образцý:** **а)** Мáльчик ещё не одéлся.

→ **б)** Мáма хóчет, чтóбы он одéлся.

1. Ученикú не взяли кнúги. Учúтель сказáл, ... . 2. Ребёнок не умылся. Бáбушка хóчет, ... . 3. Пациéнт не выпил аспирúн. Медсестрá сказáла, ... . 4. Ребёнок не съел суп. Отéц хóчет, ... . 5. Студéнты не написáли рабóты. Профéссор сказáл, ... . 6. Турúсты ещё не пообéдали. Гид предложúл, ... .

**3** **Рабóта в пáрах.** Придýмайте разговóр Анны и Владислáва на вокзáле.

**4** **Игрá.**

Кáждый ученúк даёт учúтелю мáленький предмéт («фант»). Учúтель назначáет ведýщего, котóрый формулúрует желáние : «Я хочý, чтóбы этот фант вышел в коридóр!» Учúтель берёт одúн фант. Ученúк, котóрому принадлежúт этот фант, дóлжен сдéлать то, что сказáл ведýщий.

# урок 9B

## АЛЕКСАНДР СЕРГЕЕВИЧ ПУШКИН

*А. С. Пу́шкин*

*Эпигра́мма*
*Воспи́танный*
*под бараба́ном,*
*Наш царь лихи́м*
*был капита́ном:*
*Под Австерли́цем*
*он бежа́л,*
*В двена́дцатом году́*
*дрожа́л...*

*Épigramme*
*Élevé au son du tambour*
*Notre tsar était un vaillant*
*capitaine:*
*Á Austerlitz il s'est enfui*
*Et en 1812 il tremblait…*

Нет в Росси́и бо́лее изве́стного, бо́лее люби́мого поэ́та, чем Алекса́ндр Серге́евич Пу́шкин.

Гла́вные да́ты его́ биогра́фии:

**1799** Рожде́ние в Москве́ в дворя́нской семье́.

5 **1811** Поступле́ние в лице́й в Ца́рском Селе́ под Петербу́ргом. Лицеи́сты о́чень люби́ли поэ́зию и литерату́ру, издава́ли свои́ газе́ты и журна́лы.

**1817** Оконча́ние лице́я.

Пу́шкин остаётся в Петербу́рге. Он дру́жит с офице́рами,

10 бу́дущими декабри́стами[1], пи́шет стихи́ и эпигра́ммы. Эти стихи́ пока́зывают свободолюби́вый хара́ктер Пу́шкина, его́ полити́ческие симпа́тии и антипа́тии. Граф Бенкендо́рф, шеф жанда́рмов, показа́л э́ти стихи́ царю́ Алекса́ндру I, кото́рому о́чень не понра́вились его́ полити́ческие эпигра́ммы и он сосла́л

15 молодо́го поэ́та на юг.

**1820-1824** Ю́жная ссы́лка.

Здесь, в Крыму́ и в Молда́вии, Пу́шкин мно́го пи́шет. В э́ти го́ды он начина́ет свой знамени́тый рома́н в стиха́х «Евге́ний Оне́гин», кото́рый назову́т «энциклопе́дией ру́сской жи́зни».

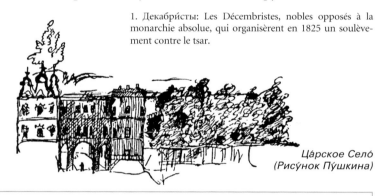

1. Декабри́сты: Les Décembristes, nobles opposés à la monarchie absolue, qui organisèrent en 1825 un soulèvement contre le tsar.

*Ца́рское Село́*
*(Рису́нок Пу́шкина)*

Нет в Росси́и бо́лее изве́стного поэ́та, чем Пу́шкин.
Пу́шкин дружи́л с ме́нее изве́стным сего́дня писа́телем, Влади́миром Сологу́бом.
Есть ли во Фра́нции тако́й же популя́рный поэ́т, как Пу́шкин в Росси́и?

## ВОПРОСЫ И ЗАДАНИЯ

**1** **Перескажи́те гла́вные собы́тия в жи́зни Пу́шкина в пери́од до 1824 го́да.**

Пу́шкин роди́лся в 1799 году́. В 1811 году́ он поступи́л в … . Он там учи́лся … лет. Он люби́л чита́ть и писа́ть, и та́кже … . По́сле … лице́я, он оста́лся жить в … . Эпигра́ммы, кото́рые он тогда́ написа́л, не понра́вились … и он … его́ на … .

**2** По-ва́шему, кто учи́лся в лице́е в Ца́рском Селе́? Каки́е предме́ты они́ изуча́ли? По́мните ли вы и́мя герои́ни рома́на «Евге́ний Оне́гин»?

## ПРАКТИКА

### О себе

**3** Куда́ вы хоти́те поступи́ть по́сле оконча́ния шко́лы? А ва́ши роди́тели хотя́т, что́бы вы туда́ поступи́ли?

# БИОГРАФИЯ ПУШКИНА (продолже́ние)

**1824-1826** Миха́йловское.

В 1824 году́ царь разреша́ет ему́ верну́ться в Миха́йловское, име́ние его́ ма́мы Наде́жды Оси́повны недалеко́ от Пско́ва.

В э́той ру́сской дере́вне Пу́шкин с интере́сом изуча́ет
5 поэ́зию, пе́сни и тради́ции наро́да. Здесь он пи́шет истори́ческую дра́му «Бори́с Годуно́в».

**1826** Возвраще́ние в Москву́.

**1831** Жени́тьба на Ната́лье Гончаро́вой. Перее́зд в Петербу́рг. Это го́ды семе́йного сча́стья. Он пи́шет «Пи́ковую да́му»,
10 «Капита́нскую до́чку», «По́вести Бе́лкина». Тепе́рь он знамени́тый в Росси́и поэ́т.

Но аристократи́ческое о́бщество не люби́ло свобо́дную, оригина́льную ли́чность Пу́шкина, провоци́ровало его́ на сканда́лы… Поэ́т получа́л анони́мные пи́сьма, где ему́
15 писа́ли, что его́ жена́ влюблена́[1] во францу́зского офице́ра-эмигра́нта Данте́са.

**1837** Дуэ́ль, на кото́рой Данте́с убива́ет Пу́шкина.

*Н. Н. Гончаро́ва*

1. Влюблён: amoureux.

*Миха́йловское*

## ВОПРОСЫ И ЗАДАНИЯ

**1** **Перескажи́те гла́вные собы́тия жи́зни Пу́шкина в пери́од с 1824 го́да.**

В 1824 поэ́т возвраща́ется в …

## ПРАКТИКА

**2** **Де́лал и́ли сде́лал?**

**1.** Реша́л и́ли реши́л? / Когда́ оте́ц Пу́шкина узна́л, что ско́ро откро́ют лице́й в Ца́рском селе́, он … посла́ть туда́ Алекса́ндра. **2.** Оста́ться и́ли остава́ться? / По́сле оконча́ния лице́я Пу́шкин реши́л … в Петербу́рге. **3.** Знако́мился и́ли познако́мился? / В Петербу́рге Пу́шкин … с декабри́стами. **4.** Уезжа́л и́ли уе́хал? / В 1820 он … на юг. **5.** Возвраща́лся и́ли верну́лся? / В 1824 году́ Пу́шкин … в Миха́йловское. **6.** Расска́зывала и́ли рассказа́ла? / В Миха́йловском его́ ня́ня ему́ ча́сто … ска́зки. **7.** Де́лал и́ли сде́лал? / В 1829 он … пе́рвое предложе́ние Ната́лье Гончаро́вой. **8.** Выходи́ла и́ли вы́шла за́муж? / Роди́тели Ната́льи Гончаро́вой хоте́ли, что́бы она́ … за́муж за Пу́шкина. **9.** Писа́л и́ли написа́л? / Пу́шкин … рома́н «Евге́ний Оне́гин» не́сколько лет.

## О себе

**3** Во ско́лько вы возвраща́етесь сего́дня домо́й? Во ско́лько ва́ши роди́тели возвраща́ются домо́й? Они́ вам разреша́ют возвраща́ться домо́й по́здно, когда́ вы ве́чером ухо́дите из до́ма?

# ПОРТРЕТ

➤ Снéжная аллéя, по котóрой идёт Анна, огрóмное крáсное сóлнце на рóзовом нéбе, дом с колóннами в концé аллéи, в котóром скóро начнётся вéчер поэ́зии – какáя картúна рýсской зимы́!

Но у Анны в головé другáя картúна, другúе стихú.

*Её глазá, как два тумáна,*
*Полý-улы́бка, полý-плач,*
*Её глазá как два обмáна...*

Онá дýмает о портрéте, котóрый нахóдится в э́том дóме и котóрый онá должнá найтú. Э́тот портрéт шестнадцатилéтней Зинáиды

Полóнской нарисовáл когдá-то молодóй худóжник из Казáни, котóрый приéхал в Отрáдное на этю́ды. Он увúдел её и влюбúлся с пéрвого взгля́да. В портрéте Зинáиды, котóрый он сдéлал тогдá и подарúл ей, он вы́разил всю свою́ любóвь. Он хотéл, чтóбы онá понялá э́то без слов...

Когдá Зинáида былá в Отрáдном послéдний раз лéтом 1921 гóда, онá спря́тала свои́ любúмые вéщи и портрéт в тайникé в библиотéке отцá.

Где э́тот портрéт сейчáс? Найдёт ли Анна егó в э́том дóме?

## ВОПРОСЫ И ЗАДАНИЯ

**1** Скажúте, что знáет Анна и что онá не знáет о портрéте. По-вáшему, Анна найдёт портрéт?

## ПРАКТИКА

**2 Что вы должны́ дéлать? а)** Зáвтра у мáмы день рождéния.
→ **б)** Я дóлжен ей купúть подáрок.

**1.** Вáша подрýга вас ждёт ужé час. **2.** У вас температýра 39 грáдусов. **3.** Вы нахóдитесь за granúцей и вы не звонúли родúтелям ужé 2 недéли. **4.** В суббóту у вас самолёт в 7 часóв утрá. **5.** Вы хотúте знать, когдá начинáются экзáмены. **6.** Вéчером придýт гóсти.

**3 Продолжáйте по образцý:**
**а)** Зинáида должнá поня́ть мою́ любóвь без слов, – дýмал молодóй худóжник.
→ **б)** Он хотéл, чтóбы Зинáида поня́ла э́то без слов.

**1.** Анна должнá найтú портрéт, – дýмала её бáбушка. **2.** Алексáндр дóлжен поступúть в лицéй, – дýмал отéц Пýшкина. **3.** Пýшкин дóлжен уéхать из Петебýрга, – сказáл царь. **4.** Царь дóлжен разрешúть мне вернýться в Петербýрг, – писáл Пýшкин. **5.** Молодёжь должнá знать истóрию своегó крáя, – говорúл Владислáв Константúнович.

# ГДЕ? КУДА? ОТКУДА?

**1 Attribuez à chaque bulle la phrase qui lui convient.**

*Во вре́мя кани́кул Ви́тя с роди́телями и с сестро́й лета́ли в Оде́ссу. Когда́ они́ прилете́ли в Оде́ссу, они́ снача́ла пое́хали в гости́ницу, а пото́м соверши́ли экску́рсию по го́роду. А ве́чером они́ ходи́ли в го́сти к прия́телям Анато́лия Плато́новича.*

**а.** Дороги́е пассажи́ры! Наш самолёт подлета́ет к аэропо́рту го́рода Оде́ссы.

**б.** Здра́вствуйте! Проходи́те, пожа́луйста, в сало́н самолёта.

**в.** Мы подъезжа́ем к це́нтру го́рода.

**г.** Мы прилети́м че́рез 15 мину́т!

**д.** Здра́вствуйте! Входи́те, пожа́луйста!

**е.** Ма́ма, когда́ мы улета́ем?

**ж.** Приезжа́йте к нам ещё!

# СЛОВАРЬ ЛЕГКО И ПРОСТО

**1 Trouvez le plus grand nombre possible de mots formés sur les racines :**

-люб- • -жен- • -уч- • -сыл-

**2 Trouvez le nom générique, comme dans l'exemple :**

        **а)** Матема́тика, исто́рия, му́зыка, англи́йский.

  → **б)** Предме́т.

**1.** Дворе́ц, дом, це́рковь, ба́шня. **2.** Портре́т, интерье́р, натюрмо́рт, пейза́ж. **3.** Сноубо́рд, ре́гби, хокке́й, пла́вание. **4.** Скульпту́ра, поэ́зия, кино́, теа́тр. **5.** Дворяни́н, царь, граф, баро́н. **6.** Ко́фе, чай, кака́о, лимона́д. **7.** Билья́рд, ша́хматы, домино́, ка́рты. **8.** Коллекционе́р, сосе́д, брат, учёный.

**3 Les substantifs verbaux en -ие.**

**1.** Vous connaissez les noms tirés des verbes : откры́ть, назва́ть, роди́ться, поступи́ть, пла́вать, возвраща́ться.

**2.** Dites maintenant de quels verbes sont issus les noms : удивле́ние, реше́ние, поздравле́ние, жела́ние, освобожде́ние, выраже́ние, происхожде́ние.

**3.** En cherchant des noms tirés des verbes писа́ть, преподава́ть, учи́ть, жить, vous trouverez deux autres suffixes permettant de former des substantifs verbaux.

**4 Quels sont les adjectifs formés à partir de ces noms ?**

о́бщество • семья́ • со́лнце • снег • зима́ • ле́то • де́спот • за́пад • арома́т • ю́мор • грусть • война́ • си́ла • идеа́л.

# ДАВАЙТЕ поиграем!

**1** Пе́рвая кома́нда выбира́ет ру́брику. Веду́щий задаёт вопро́сы по э́той те́ме. Тот, кто отвеча́ет пе́рвым, получа́ет балл для свое́й кома́нды. Кома́нда, кото́рая набрала́ бо́льше ба́ллов по пе́рвой те́ме, выбира́ет другу́ю...

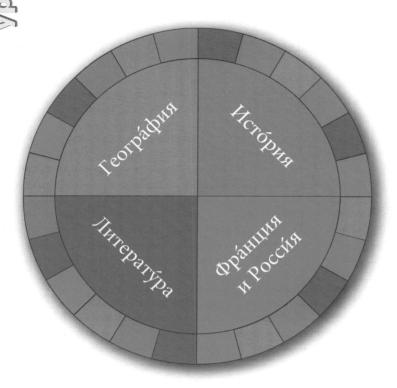

Геогра́фия • Исто́рия • Литерату́ра • Фра́нция и Росси́я

**1** Кака́я страна́ бо́льше: Росси́я и́ли Кита́й?

**2** Где бо́льше жи́телей: в Росси́и и́ли в Кита́е?

**3** Где бо́льше жи́телей: в Новосиби́рске и́ли в Ирку́тске?

**4** Кака́я река́ длинне́е: Обь и́ли Во́лга?

**5** Како́й го́род южне́е: Со́чи и́ли Ни́цца?

**6** Где вода́ холодне́е: в Чёрном мо́ре и́ли в Бе́лом?

---

**1** Како́й го́род ста́рше: Москва́ и́ли Пари́ж?

**2** Кака́я пло́щадь бо́льше: Этуа́ль и́ли Кра́сная пло́щадь?

**3** Кака́я ба́шня вы́ше: Эйфелева ба́шня и́ли Оста́нкинская телеба́шня?

**4** Како́й о́стров ме́ньше: Ко́рсика и́ли Сахали́н?

**5** Где бо́льше сорто́в сы́ра: в Росси́и и́ли во Фра́нции?

**6** Каки́е духи́ бо́лее изве́стные в ми́ре: Шане́ль и́ли Кра́сная Москва́?

---

**1** Како́й го́род ста́рше: Кострома́ и́ли Москва́?

**2** Кто из трёх бра́тьев Рома́новых был моло́же: Пётр, Фёдор и́ли Ива́н?

**3** Кака́я семья́ была́ бога́че: Шереме́тевы и́ли Пу́шкины?

**4** Кто ра́ньше роди́лся: Ле́нин и́ли Ста́лин?

**5** Кто ра́ньше лета́л в ко́смос: ру́сские и́ли америка́нцы?

**6** Кто ца́рствовал до́льше: Пётр Пе́рвый и́ли Пётр Тре́тий?

---

**1** Кто написа́л бо́льше расска́зов: Толсто́й и́ли Че́хов?

**2** Кто жил ра́ньше: Пу́шкин и́ли Толсто́й?

**3** Како́й теа́тр ста́рше: драмати́ческий теа́тр в Яросла́вле и́ли Большо́й теа́тр в Москве́?

**4** Како́й писа́тель бо́лее изве́стный во Фра́нции: Достое́вский и́ли Андре́й Бе́лый?

**5** Како́й язы́к лу́чше зна́ли ру́сские дворя́не: англи́йский и́ли францу́зский?

**6** Где поэ́зия бо́лее популя́рна: во Фра́нции и́ли в Росси́и?

# СТРАНА И ЛЮДИ

# Стихи́ и пейза́жи

◆ De ces deux poèmes, lequel correspond le mieux au tableau ci-dessous ?

Изаак Левитан, *Лунный свет*, 1899. Ру́сский музе́й, Санкт-Петербу́рг.

**1**

Весе́нний день горя́ч и зо́лот,–
Весь го́род со́лнцем ослеплён
Я сно́ва – я: я сно́ва мо́лод
Я сно́ва ве́сел и влюблён

*Игорь Северя́нин*

**2**

И с ка́ждой о́сенью я расцвета́ю вновь;
Здоро́вью моему́ поле́зен ру́сский хо́лод;
Легко́ и ра́достно игра́ет в се́рдце кровь,
Жела́ния кипя́т – я сно́ва сча́стлив, мо́лод.

*Алекса́ндр Пу́шкин*

# Урок 10 A
## ПРОГУЛКА

Марк Шага́л. *Прогу́лка*, 1917-1918.

# ПОРТРЕТ
## (продолже́ние)

≫ Утром Анна зашла́ в библиоте́ку и уви́дела ками́н, за кото́рым до́лжен находи́ться тайни́к с карти́ной. «Если поверну́ть две льви́ные го́ловы на ками́не, он откро́ется», – так сказа́ла ба́бушка.

В до́ме ти́хо. Все, наве́рно, уже́ легли́. За окно́м идёт снег.
Пора́!
Анна вы́шла в коридо́р, прошла́ ми́мо спа́льни Владисла́ва.
– Если он меня́ уви́дит, что я ему́ скажу́?
Она́ бы́стро поверну́ла по коридо́ру напра́во, прошла́ че́рез гости́ную и вошла́ в библиоте́ку. Из темноты́ на неё смотре́ли бро́нзовые львы на ками́не.
Она́ подошла́ к тайнику́ и начала́ повора́чивать фигу́ры...
– *Вам помо́чь, Анна Серге́евна?*

> заходи́ть • проходи́ть
> Я прошла́ ми́мо его́ до́ма, но не заходи́ла к нему́.

---

приходи́ть ≠ уходи́ть          входи́ть ≠ выходи́ть          подходи́ть ≠ отходи́ть

---

## ВОПРОСЫ И ЗАДАНИЯ

**1** **Что де́лает Анна но́чью?**

Она́ ... из ко́мнаты в коридо́р, ... ми́мо спа́льни Владисла́ва, ... че́рез гости́ную, и ... в библиоте́ку. Она́ ... к ками́ну, но бы́стро ... от него́, когда́ слы́шит: «Вам помо́чь, Анна Серге́евна?»

## ПРАКТИКА

**2** **Что бу́дет, е́сли... ?**

> **а)** Если ты уви́дишь N., ... .
> → **б)** Если я уви́жу N., я её приглашу́ на мой день рожде́ния.

**1.** Если ты вернёшься ра́но, ... . **2.** Если ты ку́пишь но́вую маши́ну, ... . **3.** Если твоя́ подру́га узна́ет об э́том, ... . **4.** Если ты уста́л, ... . **5.** Если ты свобо́ден в суббо́ту ве́чером, ... . **6.** Если ты пошлёшь N. e-mail, ... . **7.** Если N. тебя́ лю́бит, ... . **8.** Если ты полу́чишь плоху́ю оце́нку по матема́тике, ... .

**3** Вы предлага́ете дру́гу зайти́ к вам по́сле уро́ков. Вы ему́ говори́те, что вы бу́дете де́лать. Он вам отвеча́ет.

# урок 10B
## РУССКАЯ РЕВОЛЮЦИЯ И АВАНГАРД В ИСКУССТВЕ

К. Мале́вич. *Части́чное затме́ние с Мо́ной Ли́зой, 1914.*

Нача́ло двадца́того ве́ка.

**1905** Пе́рвая ру́сская револю́ция.

**1907** В Пари́же Пика́ссо пи́шет карти́ну « Авиньо́нские де́вушки », 
5 кото́рая открыва́ет путь кубизму.

**1912** Манифе́ст ру́сских футури́стов – «сбро́сить Пу́шкина с корабля́ совреме́нности».

**1915** «Чёрный квадра́т на бе́лом 
10 фо́не» Казими́ра Мале́вича – пе́рвая абстра́ктная карти́на.

Во всей Евро́пе писа́тели, поэ́ты, худо́жники, музыка́нты критику́ют ста́рое класси́ческое иску́сство и 
15 и́щут но́вые фо́рмы но́вого вре́мени в литерату́ре, в жи́вописи, в му́зыке...

В Росси́и в 1917 году́ мно́гие авангарди́сты принима́ют револю́цию 
20 с энтузиа́змом.

Ме́жду аванга́рдом и коммунисти́ческим режи́мом форми́руется алья́нс, кото́рый бу́дет дли́ться до конца́ двадца́тых годо́в.

| |
|---|
| Иску́сство: жи́вопись, му́зыка, литерату́ра, скульпту́ра, архитекту́ра, кино́ ... |

| |
|---|
| класси́ческое иску́сство ≠ совреме́нное иску́сство |

## ВОПРОСЫ И ЗАДАНИЯ

**1** Како́й худо́жник написа́л э́ту карти́ну?
В це́нтре карти́ны – репроду́кция са́мого изве́стного в ми́ре портре́та.
Кто а́втор э́того портре́та?
Каки́е слова́ мо́гут характеризова́ть э́ту карти́ну: романти́зм • провока́ция • экспериме́нт • классици́зм • реали́зм • иро́ния.

## ПРАКТИКА

### О себе

**2** У вас мно́го де́нег. Вы мо́жете купи́ть одну́ из карти́н, репроду́кции кото́рых вы ви́дите в уро́ках 9 и 10. Каку́ю карти́ну вы выбира́ете?

**3** Предпочита́ете ли вы класси́ческое иску́сство и́ли совреме́нное? Фигурати́вную жи́вопись и́ли абстра́ктную?

# НОВАЯ ЖИЗНЬ – НОВЫЙ ЧЕЛОВЕК

Большевики хоте́ли измени́ть не то́лько полити́ческую и экономи́ческую систе́му (они́ национализи́ровали фа́брики и заво́ды, переда́ли зе́млю поме́щиков
5 крестья́нам), но и самого́ челове́ка. Револю́ция должна́ роди́ть «но́вого челове́ка». Но как реализова́ть э́тот идеа́л? Двадца́тые го́ды в СССР – э́то го́ды ма́ссовых культу́рных и социа́льных
10 экспериме́нтов, кото́рые организу́ют и коммунисти́ческая па́ртия, и са́ми лю́ди.
*Освободи́ть же́нщину!*
Же́нщина получа́ет ра́вные права́ с мужчи́ной.

*Поко́нчить с буржуа́зными индивидуали́змом!*
Комсомо́льцы[1] организу́ют комму́ны, где всё о́бщее: ве́щи и де́ньги, ра́дости и пра́здники...
15 *Но́вая культу́ра на слу́жбе[2] наро́ду.*
Арти́сты прихо́дят на фа́брики и заво́ды. В дере́внях стро́ят клу́бы, где крестья́нам пока́зывают фи́льмы; кино́ игра́ет ва́жную роль в пропага́нде «но́вой жи́зни».
20 *Но́вые ритуа́лы.*
Но́вые имена́, крести́ны-октябри́ны[3], антирелиги́озная пропага́нда.

1. Комсомо́лец: молодо́й коммуни́ст. 2. Слу́жба: service.
3. Крести́ны-октябри́ны: «baptême communiste».

---

Но́вые времена́, но́вые имена́.

Владле́н, Владиле́н, Вил, Виле́н, Нине́ль, Лени́на, Октябри́на, Ноябри́на, Револю́ция, Мэло́р, Жоре́с, Жан-Поль Мара́т, Алгебри́на, Гипотену́за, Тра́ктор, Авиа́тор, Турби́на...

## ВОПРОСЫ И ЗАДАНИЯ

**1** Зна́ете ли вы, ско́лько лет был в Росси́и коммунисти́ческий режи́м? По-ва́шему, что игра́ло гла́вную роль в пропага́нде «но́вой жи́зни»: литерату́ра, пре́сса, шко́ла...?

## ПРАКТИКА

**2** Опиши́те э́ту репроду́кцию.

Васи́лии Купцо́в,
Ант-20 *Макси́м Го́рький*,
1934,
Ру́сский музе́й,
Санкт-Петербу́рг

# ПОРТРЕТ (продолже́ние)

➤ Они́ сиде́ли у ками́на и Анна расска́зывала Владисла́ву исто́рию портре́та праба́бушки и тайника́, в кото́ром она́ его́ иска́ла.

Тепе́рь они́ смея́лись, и Владисла́в ещё раз вспомина́л, как он сиде́л на дива́не и мечта́л, и вдруг услы́шал шаги́ в коридо́ре...

– Анна, е́сли бы вы мне написа́ли ра́ньше, я бы узна́л, где сейча́с э́тот портре́т. А тепе́рь я вам то́лько могу́ рассказа́ть, что здесь произошло́ в 1995 году́.

До э́того тут был дом о́тдыха фа́брики «Кра́сный пролета́рий». Но в 1994 году́ и фа́брику, и дом о́тдыха приватизи́ровали. В па́рке уса́дьбы, как вы ви́дели, постро́или котте́джи для «но́вых ру́сских». То́лько саму́ уса́дьбу мы смогли́ оста́вить для бу́дущего музе́я, потому́ что она́ – па́мятник исто́рии. Но после́дний дире́ктор до́ма о́тдыха, кото́рый на́чал реставри́ровать дом, нашёл тайни́к и ве́щи, кото́рые там бы́ли. И про́дал их... Вы зна́ете, э́то бы́ли го́ды, когда́ всё продава́лось и покупа́лось...

Но мы найдём портре́т!

Если бы Анна написа́ла Владисла́ву о портре́те, он бы его́ иска́л.

Он хоте́л бы помо́чь ей.

## ВОПРОСЫ И ЗАДАНИЯ

**1** Как реаги́рует Владисла́в, когда́ он ви́дит Анну но́чью в библиоте́ке? Когда́ он узнаёт, что она́ иска́ла? Э́то его́ удивля́ет? Э́то его́ шоки́рует? Что зна́чит выраже́ние «но́вые ру́сские»? Вас шоки́рует то, что сде́лал после́дний дире́ктор?

## ПРАКТИКА

**2 Дополня́йте предложе́ния по образцу́:**   а) Если бы ..., я бы о́чень удиви́лся.

→ б) Если бы мой друг подари́л мне карти́ну, я бы о́чень удиви́лся.

**1.** Если бы ..., я бы сказа́ла: «Нет, спаси́бо!». **2.** Если бы ..., я был бы о́чень дово́лен. **3.** Если бы ..., я бы не отве́тил. **4.** Если бы ..., я бы ушёл домо́й. **5.** Если бы ..., я бы уе́хала в Аме́рику. **6.** Если бы ..., я бы заплати́л ему́ 100 е́вро. **7.** Если бы ..., я бы поступи́ла в Политехни́ческую шко́лу. **8.** Если бы ..., я бы купи́ла моторо́ллер.

**3 Продолжа́йте по образцу́:**

а) Дире́ктор на́чал реставра́цию до́ма в 1996 году́. Реставра́ция дли́лась 3 го́да.

→ б) Он ко́нчил реставра́цию в 1999 году́.

**1.** Преподава́тель на́чал уро́к в 4 часа́. Уро́к дли́лся 2 часа́. **2.** Футболи́сты на́чали матч в 8 часо́в. Матч дли́лся 1 час 30 мину́т. **3.** Музыка́нты на́чали конце́рт в 9 часо́в. Конце́рт дли́лся 2 часа́. **4.** Мы на́чали обе́дать в час. Обе́д дли́лся час. **5.** Они́ на́чали па́ртию домино́ в 5 часо́в. Па́ртия дли́лась 2 часа́. **6.** Мы на́чали экза́мены 4-ого ию́ня. Экза́мены дли́лись 3 дня.

**4 Спроси́те друг дру́га, что вы де́лали бы, е́сли бы...**

Вам бы́ло 20 лет • У вас бы́ло мно́го де́нег • Вы пое́хали в Росси́ю • Вы роди́лись в Росси́и • Вас при́нял Президе́нт • Вы бы́ли де́вочкой (ма́льчиком).

## ГДЕ? КУДА? ОТКУДА?

**1 Complétez les verbes de déplacement avec le préverbe qui convient.**

Ви́тя сиди́т на окне́ и смо́трит во двор своего́ до́ма. Вдруг он ви́дит, как во двор …éзжает чёрная маши́на. В кино́ на таки́х маши́нах éздят га́нгстеры. А э́та маши́на ме́дленно …езжа́ет ми́мо де́тской площа́дки, повора́чивает нале́во и остана́вливается[1] о́коло вхо́да в дом. Из неё …хо́дят два челове́ка: э́то ма́ленькие мужчи́ны в се́рых пальто́ и ке́пках. Они́ открыва́ют бага́жник и беру́т отту́да большу́ю су́мку. Пото́м они́ …хо́дят в дом.

– Что э́то за лю́ди? – ду́мает Ви́тя.

Че́рез де́сять мину́т э́ти мужчи́ны …хо́дят из до́ма. Они́ несу́т су́мку, кото́рая ка́жется тяжёлой. Что в ней мо́жет быть? Или КТО? Ви́тя открыва́ет окно́ и слы́шит: Гав-гав-гав!! Это го́лос Жу́чки, соба́ки тёти Ро́зы, сосе́дки по этажу́. В э́то вре́мя мужчи́ны бы́стро …хо́дят к маши́не и открыва́ют бага́жник… Ви́тя вдруг понима́ет, что мужчи́ны в ке́пках …но́сят Жу́чку.

– А где тётя Ро́за?

Маши́на уже́ начина́ет …езжа́ть от до́ма, когда́ Ви́тя бы́стро …бега́ет в коридо́р и звони́т в дверь тёти Ро́зы. Никто́ не отвеча́ет. Тогда́ он …бега́ет опя́ть к окну́, что́бы посмотре́ть но́мер маши́ны. Но маши́на уже́ …éхала.

– Куда́ …везли́ Жу́чку? И где тётя Ро́за?!

На́до звони́ть в мили́цию…

1. Остана́вливаться: s'arrêter.

## СЛОВАРЬ ЛЕГКО И ПРОСТО

**1 Vous connaissez plusieurs verbes formés sur un verbe aujourd'hui disparu, le verbe ять\*, « prendre » :**

взять: возьму́, возьмёшь(Ipf брать) • поня́ть: пойму́, поймёшь (Ipf понима́ть) • заня́ть[ся]: займу́ [сь], займёшь[ся] (Ipf занима́ть[ся]) • приня́ть: приму́, при́мешь (Ipf принима́ть).

**Faites une phrase avec les deux verbes suivants et chacun de leurs compléments.**

| Занима́ть { | Принима́ть { |
|---|---|
| ме́сто | госте́й, друзе́й |
| стол | душ |
| | аспири́н |
| | револю́цию |
| | реше́ние |

**2 Travaillez à deux : l'un de vous lit les adjectifs en les accentuant correctement, l'autre les traduit le plus rapidement possible.**

| | | |
|---|---|---|
| истори́ческий | коммунисти́ческий | лири́ческий |
| географи́ческий | социалисти́ческий | коми́ческий |
| социологи́ческий | капиталисти́ческий | ирони́ческий |
| юриди́ческий | экономи́ческий | драмати́ческий |
| математи́ческий | полити́ческий | катастрофи́ческий |
| физи́ческий | романти́ческий | демократи́ческий |

**Chacun devra ensuite énumérer au moins 5 adjectifs en -ческий sans regarder la liste.**

# ДАВАЙТЕ поговорим о картинах, фотографиях, рисунках!

- цветная, чернобелая фотография
- рисунок, картинка, плакат (афиша)…
- картина: жанр (портрет, пейзаж, натюрморт, бытовая сцена…), сюжет, композиция, цвета, тона…
- На картине художник изобразил интерьер деревенского дома.

**Разговор о картине:**

К. Юон. *Лигачёво, Августовский вечер. Последний луч.*

1. Это очень интересная по композиции картина: здесь мы видим сразу три жанра – интерьер, натюрморт и пейзаж. Интерьер комнаты-веранды: большой стол и несколько стульев, кресло у окна. Всё очень просто. Натюрморт тоже очень простой: самовар, чайник, чашка и стакан. Только букет – символ лета – царствует в натюрморте. Этот букет тоже и элемент пейзажа, который мы видим через открытые окна: зелёные деревья у дома, поля, голубое небо, река и много света и красок.

Контраст тёплых и холодных цветов показывает, что день уходит, уже вечер и скоро придёт прохладная ночь.

2. Для меня это очень поэтическая картина: это тихая поэзия дома в деревне. Мы не только видим краски летнего вечера в деревне, но и слышим, как в саду поют птицы! Она рождает чувство гармонии, тепла, атмосферы дома, в котором приятно жить и отдыхать. В таком доме может жить художник, писатель или поэт. Когда я смотрю на эту картину, я вспоминаю стихи…

3. Когда я смотрю на эту картину, мне хочется быть гостем этого дома. После шумной городской жизни приятно прийти в этот дом, сидеть на этой веранде и пить ароматный чай, смотреть в окно на леса и реку вдалеке, читать или говорить с друзьями о прочитанных книгах, которые лежат на столе.

По книге С. Ю. Михайлова, *Сочинения по картине*, Ed. Астрель.

**1** **Вот три комментария к картине. Какой вам кажется самым интересным и почему?**

## СТРАНА И ЛЮДИ

# Архитекту́ра Москвы́

◆ Quel est le style architectural de chacun de ces bâtiments?

а. Классици́зм
б. Конструктиви́зм
в. Моде́рн
г. Ста́линский стиль
д. Совреме́нный стиль

1

3

2

4

5

6

# Урок 11А
# РЕСПУБЛИКА
# ТАТАРСТАН

Кировская
область

Удмуртская
республика

Республика
Марий-Эл

Казань

Чувашская
республика

Набережные Челны
Нижнекамск

Альметьевск

Республик
Башкоторста

Ульяновская
область

Оренбургская
область

**Визи́тная ка́рточка**

Пло́щадь: 68 000 квадра́тных киломе́тров
Столи́ца: го́род Каза́нь
Населе́ние:    3 773 800 жи́телей
                      70 национа́льностей
                      48% тата́р, 43% ру́сских
Официа́льные языки́: тата́рский и ру́сский
Рели́гии: исла́м и правосла́вие
Гла́вный ресу́рс: нефть

# В КАЗАНСКОМ КАФЕ

➤ Сейча́с Макси́м, Паска́ль и Анна познако́мились с ребя́тами из Каза́ни. Они́ сидя́т в кафе́ на Ярмарочной у́лице. Отту́да ви́ден Кремль, в кото́ром они́ ещё не́ бы́ли. Все так го́лодны, что они́ реши́ли снача́ла пообе́дать, а пото́м уже́ пойти́ посмотре́ть собо́р и но́вую мече́ть, кото́рую неда́вно откры́ли.

Подхо́дит официа́нт.

**Официа́нт:** Слу́шаю вас.

**Макси́м:** Да́йте нам, пожа́луйста, три сала́та из све́жих овоще́й и три с тунцо́м.

**Официа́нт:** А горя́чие блю́да?

**Анна:** Мы возьмём жа́реный карто́фель с мя́сом – шесть по́рций. И ещё шесть буты́лок минера́льной воды́.

**Русла́н:** Негазиро́ванной, е́сли мо́жно.

**Официа́нт:** У нас вода́ то́лько газиро́ванная. Принести́ вам?

**Макси́м:** Да, принеси́те, пожа́луйста.

Шашлык по-татарски 150 руб.

Блины с икрой 120 руб.

Пельмени по-домашнему 90 руб.

Жареный картофель с мясом 100 руб.

Салат с тунцом 110 руб

Салат из свежих овощей 115 руб.

---

Макси́м **так** го́лоден, **что** он хо́чет снача́ла пообе́дать. Карто́фель **тако́й** вку́сный, **что** он берёт втору́ю по́рцию.

---

Ви́ден Кремль, видна́ Во́лга, видны́ но́вые дома́. Что ещё ви́дно отсю́да?

---

## ВОПРОСЫ И ЗАДАНИЯ

**1** Почему́ ребя́та выбира́ют кафе́ на Ярмарочной у́лице? Как вы ду́маете, что ребя́та лю́бят есть и пить?

## ПРАКТИКА

**2 Вы сиди́те в кафе́ и отвеча́ете официа́нту, кото́рый забы́л ваш зака́з. Продолжа́йте по образцу́: а)** Извини́те, для вас пять стака́нов лимона́да?

→ **б)** Нет, для нас то́лько четы́ре стака́на.

**1.** Извини́те, для вас пять буты́лок минера́льной воды́? **2.** Извини́те, для вас пять по́рций жа́реного карто́феля? **3.** Извини́те, для вас пять сала́тов из све́жих овоще́й? **4.** Извини́те, для вас пять ча́шек ко́фе? **5.** Извини́те, для вас пять таре́лок су́па? **6.** Извини́те, для вас пять стака́нов пи́ва? **7.** Извини́те, для вас пять бульо́нов? **8.** Извини́те, для вас пять бифште́ксов?

**3 Дополня́йте фра́зы по образцу́: а)** Ребя́та так го́лодны … .

→ **б)** Ребя́та так го́лодны, что они́ реши́ли снача́ла пообе́дать.

**1.** Пого́да така́я хоро́шая … . **2.** Пла́тье тако́е дорого́е … . **3.** Пельме́ни таки́е вку́сные … . **4.** Он тако́й краси́вый … . **5.** Наш коллекти́в тако́й дру́жный … . **6.** Де́вушка така́я симпати́чная … .

## О себе

**4** Вы гото́вите обе́д для ва́ших роди́телей. Что вы им пригото́вите? Если вы пригласи́те ва́ших друзе́й, како́е меню́ вы им предло́жите?

# урок 11B

## ОТ КАЗАНСКОГО ХАНСТВА ...

*Ива́н IV Гро́зный*

*Собо́р Васи́лия Блаже́нного*

Велика́ была́ Русь в XIII ве́ке. Ки́ев и Но́вгород, Смоле́нск и Черни́гов, Влади́мир и Су́здаль бы́ли столи́цами ру́сских кня́жеств. Но вдруг из-за Во́лги, из далёкой Азии, пришёл на Русь неизве́стный, но си́льный наро́д –
5 тата́ры. И начала́сь ме́жду ни́ми стра́шная и до́лгая война́. Хотя́ ру́сские лю́ди и защища́ли свои́ города́ и сёла, тата́ры всё-таки победи́ли и почти́ две́сти пятьдеся́т лет ру́сские жи́ли под тата́рской вла́стью, вози́ли дань[1] в Каза́нь, тата́рскую столи́цу на Во́лге. Это
10 вре́мя ру́сский наро́д называ́ет «монго́ло-тата́рское и́го»[2].

Но в XV ве́ке Москва́, кото́рая ста́ла но́вым це́нтром ру́сских земе́ль, начала́ освобожда́ться от тата́рской вла́сти: вели́кий князь моско́вский Ива́н III
15 отказа́лся плати́ть дань Каза́ни. А его́ внук Ива́н IV Гро́зный, собра́л большу́ю а́рмию и пошёл войно́й на Каза́нь. В 1552 году́ он взял го́род и сде́лал Каза́нь ру́сским го́родом.

1. Дань (f.): tribut, impôt.
2. Монго́ло-тата́рское и́го: le joug tatare.

хотя́ ... всё-таки

## ВОПРОСЫ И ЗАДАНИЯ

**1** Како́е вре́мя ру́сские лю́ди называ́ют «монго́ло-тата́рским и́гом»? В како́м ве́ке Каза́нь ста́ла ру́сским го́родом? Почему́?

## ПРАКТИКА

**2 Дополня́йте фра́зы по образцу́: а)** Пого́да плоха́я ... .

→ **б)** Хотя́ пого́да плоха́я, я всё-таки пойду́ гуля́ть.

1. Джи́нсы о́чень дороги́е ... . **2.** Он силён по англи́йскому языку́ ... . **3.** Она́ не хоте́ла уезжа́ть из Росси́и ... . **4.** У меня́ нет вре́мени ... . **5.** Ей не хо́чется гото́вить ... . **6.** У него́ нет ру́сских корне́й ... . **7.** Она́ о́чень ма́ленькая ... . **8.** Озеро Байка́л о́чень далеко́ ... .

**3 Вставля́йте ну́жные предло́ги:**

1. Тата́ры пришли́ ... Азии. **2.** Они́ пришли́ ... Русь ... восто́ка. **3.** ... ру́сскими и тата́рами начала́сь стра́шная война́. **4.** Почти́ две́сти пятьдеся́т лет ру́сские жи́ли ... вла́стью тата́р. **5.** ... трина́дцатого ве́ка ... пятна́дцатый век ру́сские лю́ди вози́ли дань ... тата́рскую столи́цу на Во́лге. **6.** ... пятна́дцатом ве́ке ру́сские на́чали освобожда́ться ... монго́ло-тата́рского и́га. **7.** ... побе́ды над тата́рами в 1552 году́ Ива́н IV постро́ил Кремль ... Каза́ни. **8.** ... не́сколько лет, в 1561 году́, он постро́ил правосла́вный собо́р ... Кра́сной пло́щади в Москве́.

# ...ДО НАШИХ ДНЕЙ

После победы Ивана Грозного над Казанью, московский царь приказал разрушить мусульманские мечети, построить Кремль, а татары должны были уйти из города. А в Москве как памятник русской победы построили в 1561 году на Красной площади православный собор. Это знаменитый собор Василия Блаженного, в архитектуре которого мы видим и восточные мотивы. По легенде царь Иван Грозный приказал ослепить[1] архитектора, чтобы он больше никогда не мог построить другого такого собора. После победы Московского царства над Казанью открылась для русских дорога на Восток, в холодную, но богатую Сибирь.

Прошло время. Менялась Россия: менялись её столицы, границы, даже название государства. Но и сегодня в Казани живут татары и русские.

В 1995 году власти республики Татарстан решили снова построить мечеть Кул-Шариф на территории Казанского Кремля. Мечеть открыли в 2005 году, когда Казань праздновала своё тысячелетие. Это был общий праздник и татар и русских. И теперь как символ двух культур Казани стоят в Кремле татарская мечеть и русский собор.

| далеко | долго | холодно |
|--------|-------|---------|
| далёкий | долгий | холодный |

Почему? Потому что …
Зачем? Чтобы …

1. Ослепить: énucléer, crever les yeux.

## ВОПРОСЫ И ЗАДАНИЯ

**1 Вставляйте нужные даты и слова:**

*столица • XIII век • собор Василия Блаженного • XVI век • тысячелетие • новая мечеть • XV век*

**1.** Татары пришли на Русь в … . **2.** Только в … московский князь Иван III освободил русские земли от монголо-татарского ига. **3.** А Иван Грозный в … взял Казань и разрушил мечеть Кул-Шариф. **4.** Как памятник русской победы он построил в Москве на Красной площади … . **5.** Сегодня Казань … республики Татарстан. **6.** Недавно власти этой республики решили построить … на месте старой. **7.** Эту мечеть открыли в 2005 году во время праздника … Казани.

## ПРАКТИКА

**2 Помните ли вы, зачем они это сделали? Отвечайте по образцу:**

**а)** Зачем ребята приехали в Татарстан?

→ **б)** Чтобы пойти на открытие культурного центра в Отрадном.

**1.** Зачем Анна и её друзья пошли в кафе? **2.** Зачем Анна и её друзья купили билеты на поезд? **3.** Зачем Элиз дала Анне адрес Даши? **4.** Зачем Софья Викторовна пришла к Максиму? **5.** Зачем Паскаль и Максим поехали в Сибирь? **6.** Зачем Анна приехала в Россию?

**3 Игра.**

Разделите класс на две команды. Без помощи учебника каждая команда готовит максимальное количество вопросов по тексту урока. Через какое-то время каждая команда попеременно задаёт вопросы друг другу. Побеждает команда, которая получит наибольшее число баллов за правильные вопросы и ответы.

# КСЕНИЯ ВЕРИТ В ПРИМЕТЫ

» Ребя́та ждут, когда́ им принесу́т еду́. Они́ разгова́ривают о но́вой мече́ти, кото́рую откры́ли к тысячеле́тию Каза́ни. Вдруг…

**Альми́ра:** Ой, э́то моя́ ви́лка упа́ла...

**Юлия:** Зна́чит, сего́дня к тебе́ придёт же́нщина.

**Анна:** Почему́?

**Юлия:** Потому́ что е́сли ви́лка па́дает, э́то зна́чит, что придёт же́нщина, а е́сли нож, то – мужчи́на. У нас така́я приме́та есть.

**Анна:** Кака́я же́нщина мо́жет прийти́ к тебе́, е́сли тебя́ нет до́ма? Ты ве́ришь в э́ту приме́ту?

**Юлия:** Вообще́-то да, ве́рю.

» **Анна:** Ребя́та, я вы́йду на у́лицу и там вас подожду́...

**Русла́н:** Анна, что с тобо́й? Тебе́ пло́хо?

**Анна:** Да, я чу́вствую себя́ нева́жно. У меня́ голова́ так боли́т, что я не хочу́ есть.

**Юлия:** Ребя́та, у кого́ есть табле́тки от головно́й бо́ли? Нет? Тогда́ дава́йте снача́ла зайдём в апте́ку, а пото́м уже́ в Кремль. Пошли́-пошли́...

**Макси́м** (официа́нту): Принеси́те, пожа́луйста, счёт.

**Официа́нт:** Вот пожа́луйста, плати́те в ка́ссу.

---

У Анны голова́ **так** боли́т, **что** она́ не хо́чет есть.
Ей **так** бо́льно, **что** она́ не хо́чет есть.

---

– Что с Анной? Ей пло́хо?
– Да, она́ чу́вствует себя́ пло́хо.

---

## ВОПРОСЫ И ЗАДАНИЯ

**1** Почему́ Юлия говори́т, что к Альми́ре придёт же́нщина? Заче́м они́ пойду́т в апте́ку?

## ПРАКТИКА

**2 Спра́шивайте по образцу́: а)** Они́ сказа́ли, что ку́пят табле́тки.

→ **б)** А я ду́мал(а), что они́ уже́ купи́ли.

**1.** Она́ сказа́ла, что придёт ко мне. **2.** Он сказа́л, что откро́ют но́вую мече́ть. **3.** Они́ сказа́ли, что пойду́т в апте́ку. **4.** Он сказа́л, что принесёт счёт. **5.** Они́ сказа́ли, что посмо́трят Кремль по́сле обе́да. **6.** Они́ сказа́ли, что оста́вят тебе́ ди́ски. **7.** Он сказа́л, что позвони́т дире́ктору. **8.** Она́ сказа́ла, что возьмёт интервью́ у режиссёра.

**3 Дополня́йте фра́зы по образцу́:**

**а)** У Анны так боле́ла голова́ … .

→ **б)** У Анны так боле́ла голова́, что она́ не пошла́ в Кремль.

**1.** Паска́ль так увлека́ется филатели́ей … . **2.** Макси́м так уста́л … . **3.** Ма́льчику так хо́чется спать … . **4.** Ксе́ния так интересу́ется исто́рией … . **5.** Владисла́в так лю́бит жи́вопись … . **6.** На́стя так хорошо́ у́чит уро́ки … . **7.** Ни́на так лю́бит Пу́шкина … . **8.** Ребя́та так дру́жат … .

## О себе

**4** Ве́рите ли вы в приме́ты? Если да, то в каки́е?

## ГДЕ? КУДА? ОТКУДА?

**1** **Complétez les phrases à l'aide de verbes de déplacement préverbés.**

Вчера́ Ви́тя сказа́л свои́м но́вым друзья́м: «Приходи́те ко мне в суббо́ту на день рожде́ния.» Но когда́ его́ ма́ма узна́ла, что … пятна́дцать челове́к, она́ сказа́ла: «Так мно́го! Ты же зна́ешь, что у нас ма́ленькая кварти́ра!» Ви́тя отве́тил: «Ничего́, ма́мочка, я зна́ю, что де́лать». И они́ ста́ли … ве́щи из гости́ной в коридо́р. Снача́ла они́ … стол и сту́лья и … в спа́льню. Ви́тя сказа́л, что они́ им не нужны́, что ребя́та хотя́т танцева́ть. Пото́м они́ … кни́ги, по́лки и кре́сла. Они́ оста́вили то́лько магнитофо́н и дива́н.

Когда́ ребя́та …, мать Ви́ти сказа́ла: «Приходи́те к нам ещё!», но поду́мала про себя́: «Хорошо́, что день рожде́ния то́лько раз в году́!»

## СЛОВАРЬ ЛЕГКО И ПРОСТО

**1** **Complétez les séries avec tous les mots que vous connaissez.**

**1.** Минера́льная вода́, чай, … . **2.** Сала́т Оливье́, марино́ванные грибы́, … . **3.** Ры́ба «фри», котле́ты по-ки́евски, … . **4.** Пломби́р, ром-ба́ба, … .

**2** **Dites le contraire.**

**1.** над столо́м. **2.** пе́ред ним. **3.** в ко́мнату. **4.** до револю́ции. **5.** с са́харом. **6.** на рабо́ту.

**3** **Pour parler « histoire »… Révisez le vocabulaire étudié en faisant correspondre les mots russes et leur traduction française.**

| | | | |
|---|---|---|---|
| век • | • société | приказа́ть • | • changer |
| наро́д • | • pouvoir | постро́ить • | • fêter |
| побе́да • | • événement | защити́ть • | • détruire |
| столи́ца • | • victoire | разру́шить • | • ordonner |
| война́ • | • millénaire | освободи́ть • | • tuer |
| ца́рство • | • peuple | уби́ть • | • rassembler |
| тысячеле́тие • | • siècle | измени́ть • | • vaincre |
| власть • | • royaume | победи́ть • | • construire |
| о́бщество • | • guerre | собра́ть • | • défendre |
| собы́тие • | • capitale | пра́здновать • | • libérer |

# ДАВАЙТЕ пойдём в кафé, в магазúн!

**Клиéнт, покупáтель**

• Дéвушка! Молодóй человéк!
• Бýдьте добрЫ, бýдьте любéзны, …
• Скажúте, пожáлуйста, …
• Вы не скáжете, … ?
• Мóжно вас спросúть, …
• Покажúте, пожáлуйста, …
• Принесúте, пожáлуйста, …
• Принесúте, пожáлуйста, счёт.
• Скóлько э́то стóит?
• Скóлько с меня? Скóлько с нас?
• Вам платúть?
• Где здесь кáсса?

**Официáнт, продавéц**

• Слýшаю вас!
• Сейчáс. Однý минýточку.
• Могý вам предложúть …
• Я вам рекомендýю … / Могý порекомендовáть …
• У нас тóлько сúние и бéлые джúнсы.
• К сожалéнию, бóльше нет салáтов с тунцóм.
• Сто шестьдесЯ́т рублéй.
• Пожáлуйста, счёт.
• Платúте в кáссу.
• Кáсса? Налéво.

– Покажúте, пожáлуйста, корúчневый костЮ́м.
– Какóй размéр у вас?
– Сороковóй.
– Сороковóго размéра у нас есть тóлько сúние.

– Скóлько стóят э́ти матрёшки?
– Какúе вас интересýют?
– Мáленькие.
– 620 рублéй. Онú не óчень дорогúе.

– Какáя икрá вкуснéе, осетрóвая úли белýжья?
– Сáмая вкýсная, конéчно, белýжья.
– Дáйте мне, пожáлуйста, сто грáммов.
– 195 рублéй 40 копéек.
– Платúте в кáссу.

**1** Прочитáйте э́тот диалóг в магазúне. Что здесь не так в отвéтах продавцá? А что вы бы сказáли на егó мéсте?

– Покажúте мне, пожáлуйста, кнúгу рýсских скáзок.
– Пожáлуйста. Это óчень вкýсная кнúга для инженéров.
– А расскáзы рýсских писáтелей есть у вас? Я хочý сдéлать подáрок своéй племЯ́ннице.
– Есть. Скóлько ей зим?
– Вóсемь. Онá óчень лЮ́бит читáть.
– Могý вам порекомендовáть рЫ́бу в вúнном маринáде. РЫ́ба óчень свéжая.
– Спасúбо большóе.

**2** Вы дéлаете покýпки в гастронóме. Состáвьте диалóг с продавщúцей.

**3** Вы нахóдитесь в кафé. Вы сейчáс закáзываете[1] обéд. Придýмайте диалóг с официáнтом (официáнткой).

1. Закáзывать: commander.

**100**

# СТРАНА И ЛЮДИ

## Ру́сские приме́ты

◆ Á quelles croyances populaires correspondent les dessins ?

**а.** Под ле́стницей пройти́ – не к добру́.

**б.** Сиде́ть на подоко́ннике для де́вушки – плоха́я приме́та. Она́ не вы́йдет за́муж.

**в.** Встать с посте́ли с ле́вой ноги́ – плоха́я приме́та.

**г.** Встре́тить чёрную ко́шку – плоха́я приме́та.

**д.** Че́шется пра́вая рука́ – к деньга́м.

**е.** Нельзя́, что́бы за столо́м сиде́ли трина́дцать челове́к.

**ж.** Разби́ть таре́лку и́ли ча́шку – к сча́стью.

**з.** Е́сли на твоё лицо́ с потолка́ упадёт пау́к – это до́брая приме́та.

# Урок 12 A
## КАКИЕ ЧУВСТВА ОНИ ИСПЫТЫВАЮТ?

# УДИВИТЕЛЬНАЯ ПОКУПКА

» Владисла́в хо́чет помо́чь Анне. Поэ́тому он чуть ли не ка́ждый день захо́дит в антиква́рные магази́ны в наде́жде, что найдёт портре́т её праба́бушки. Вот сего́дня в магази́не «Анти́к» он всё рассма́тривает, но портре́та не ви́дит. Вдруг он замеча́ет прекра́сное зе́ркальце времён Зинаи́ды Поло́нской.

**Владисла́в:** Молодо́й челове́к, бу́дьте любе́зны, покажи́те мне, пожа́луйста, э́то ма́ленькое зе́ркальце.

**Продаве́ц:** Пожа́луйста.

**Владисла́в:** Зе́ркальце интере́сное. А како́го го́да э́то рабо́та?

**Продаве́ц:** Тут же напи́сано[1] «коне́ц девятна́дцатого ве́ка». Возьми́те! Э́то прекра́сный пода́рок!

» **Владисла́в:** Вы пра́вы. Скажи́те, ско́лько оно́ сто́ит?

**Продаве́ц:** Три ты́сячи две́сти рубле́й. ... Вы бу́дете брать?

**Владисла́в:** Да, возьму́.

**Продаве́ц:** Плати́те в ка́ссу.

Владисла́в вы́шел из магази́на и сел в маши́ну. Он о́чень дово́лен свое́й поку́пкой. Интере́сно, кто мог прода́ть э́то зе́ркальце? Наве́рно кака́я-то бе́дная пенсионе́рка... Как э́то гру́стно! На́до посмотре́ть сертифика́т зе́ркальца.

Владисла́в начина́ет чита́ть и не ве́рит свои́м глаза́м: Отра́дное, 1995. Отра́дное, 1995! Э́то зе́ркальце из Отра́дного! А где же други́е ве́щи? На́до верну́ться в магази́н и спроси́ть.

1. Напи́сано: il est écrit.

| Он прав, она́ права́, они́ пра́вы. |
| --- |

| продаве́ц   продавщи́ца |
| --- |

## ВОПРОСЫ И ЗАДАНИЯ

**1** Почему́ Владисла́в хо́дит по антиква́рным магази́нам? Что он купи́л в магази́не «Анти́к» и почему́? Почему́, по-ва́шему, он «о́чень дово́лен» поку́пкой, но ему́ «гру́стно»?

## ПРАКТИКА

**2** Продолжа́йте по образцу́:

    **а)** Покажи́те, пожа́луйста, зе́ркальце, – говори́т Владисла́в продавцу́.

    → **б)** Владисла́в хо́чет, что́бы он показа́л ему́ зе́ркальце.

**1.** Возьми́те зе́ркальце, – говори́т продаве́ц Владисла́ву. **2.** Расскажи́те о Зинаи́де Поло́нской, – говори́т Владисла́в Анне. **3.** Посмотри́те ико́ну, – говори́т продаве́ц Владисла́ву. **4.** Опиши́те портре́т, – говори́т Владисла́в Анне. **5.** Покажи́те мне э́ту ва́зу, – говори́т Владисла́в продавцу́. **6.** Скажи́те, ско́лько сто́ит зе́ркальце? – спра́шивает Владисла́в у продавца́.

**3** Вставля́йте сло́во «вре́мя» в ну́жной фо́рме.

**1.** Это бы́ло в ста́рые ... . **2.** В то ... Зинаи́да была́ о́чень краси́ва. **3.** Что вы зна́ете об э́тих ...? **4.** У него́ нет ... . **5.** Это зе́ркальце ... Зинаи́ды Поло́нской. **6.** Ско́лько ... Анна и́щет портре́т праба́бушки? **7.** Транссиби́рский экспре́сс хо́дит во все ... го́да. **8.** К э́тому ... Зинаи́да Поло́нская уже́ жила́ во Фра́нции.

**4** Рабо́та в па́рах.

За́втра у ва́шего отца́ (у ва́шей ма́тери) день рожде́ния. Вы хоти́те купи́ть пода́рок, но не зна́ете что вы́брать. Продаве́ц хо́чет вам помо́чь. Приду́майте диало́г.

# урок 12B

## КТО БЕДЕН В РОССИИ?

После распада[1] Советского Союза в 1991 году начался экономический кризис в России. Большинство людей стали бедными. И хотя есть теперь в России богачи и миллиардёры, бедность – это проблема миллионов людей.

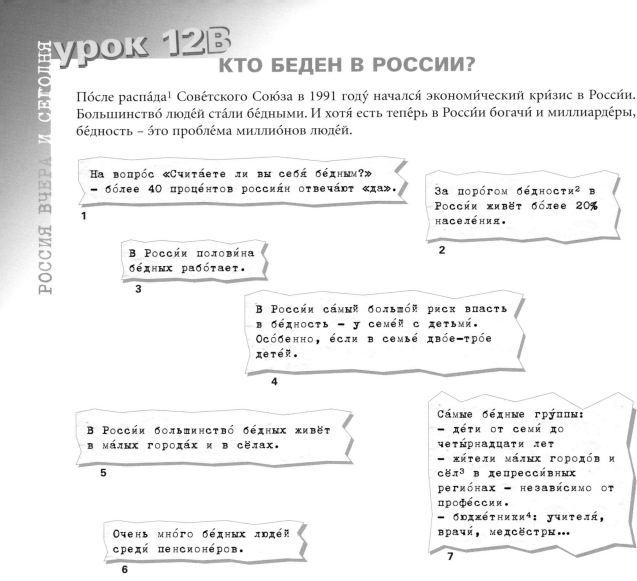

На вопрос «Считаете ли вы себя бедным?» – более 40 процентов россиян отвечают «да».

**1**

За порогом бедности[2] в России живёт более 20% населения.

**2**

В России половина бедных работает.

**3**

В России самый большой риск впасть в бедность – у семей с детьми. Особенно, если в семье двое-трое детей.

**4**

В России большинство бедных живёт в малых городах и в сёлах.

**5**

Самые бедные группы:
- дети от семи до четырнадцати лет
- жители малых городов и сёл[3] в депрессивных регионах – независимо от профессии.
- бюджетники[4]: учителя, врачи, медсёстры...

**7**

Очень много бедных людей среди пенсионеров.

**6**

По материалам журнала «Эксперт»

1. Распад: chute. 2. За порогом бедности: au-delà du seuil de pauvreté. Dans le monde, on considère comme vivant au-delà du seuil de pauvreté les gens qui vivent avec un dollar par jour et par personne. Dans les pays du nord, et c'est le cas de la Russie, ce seuil est de deux dollars, étant donné les besoins en vêtements, chauffage… 3. Депрессивный: (ici) défavorisé. 4. Бюджетники: les fonctionnaires.

## ВОПРОСЫ И ЗАДАНИЯ

### ▮ Да или нет?

1. В России много бедных. 2. В крупных городах население беднее, чем в малых. 3. Врачи в России – богатые люди. 4. Семьи с детьми – самые богатые. 5. 40% российского населения живёт за порогом бедности.

### ▮ Найдите данные по Франции.

Как вы думаете, где больше бедных? В крупных или в малых городах? Какой процент французского населения живёт за порогом бедности? Какие люди самые бедные?

## ПРАКТИКА

### ▮ Читайте.

1. 2% • 5% • 10% • 28% • 97% • 31% • 64% • 70% • 43% • 51%
2. более 20% • более 40% • более 80% • более 35% • более 95%

Трéбуются учителя́: on demande des professeurs.
Окла́д: salaire.

Пла́тный: payant.
Беспла́тный: gratuit.
Нарко́з: anesthésie.

Опла́чивать = Плати́ть.

## ВОПРОСЫ И ЗАДАНИЯ

**1** Опиши́те карикату́ры. Скажи́те, о каки́х социа́льных пробле́мах идёт речь.

# ЧТО НУЖНО ВЛАДИСЛАВУ?

» Когда́ Владисла́в вхо́дит в магази́н «Анти́к», продаве́ц смо́трит на него́ с удивле́нием.

**Продаве́ц:** Что случи́лось? Вы переду́мали?

**Владисла́в:** Нет, но я хочу́ знать, отку́да у вас э́то зе́ркальце.

**Продаве́ц:** Мы с дире́ктором купи́ли его́ на аукцио́не.

**Владисла́в:** А други́е бы́ли ве́щи? Карти́ны, портре́ты…

**Продаве́ц:** Да, был портре́т. Но мы его́ про́дали год наза́д.

**Владисла́в:** Кому́? Вы зна́ете фами́лию покупа́теля?

**Продаве́ц:** Портре́т купи́л коллекционе́р из Ялты.

**Владисла́в:** Мне о́чень нужны́ его́ а́дрес и фами́лия.

**Продаве́ц:** К сожале́нию, я уже́ не по́мню, как его́ зва́ли. У нас так мно́го покупа́телей!

**Владисла́в:** Но для меня́ это о́чень ва́жно! Я вас о́чень прошу́! Помоги́те мне!

**Продаве́ц:** Вы зна́ете, вам не тру́дно бу́дет его́ найти́ в Ялте. Мне ка́жется, это о́чень изве́стный коллекционе́р. Но, е́сли я вспо́мню его́ фами́лию, я вам позвоню́. Да́йте ваш телефо́н.

| | |
|---|---|
| по́мнить<br>вспомина́ть / вспо́мнить | |

| Что ему́ ну́жно? | Ему́ ну́жен но́мер телефо́на.<br>Ему́ нужна́ информа́ция.<br>Ему́ нужны́ координа́ты челове́ка. |
|---|---|

## ВОПРОСЫ И ЗАДАНИЯ

**1** О чём спра́шивал и что проси́л Владисла́в в магази́не? Перескажи́те разгово́р Владисла́ва и продавца́ свои́ми слова́ми.

## ПРАКТИКА

**2 Учи́тель вам что-то говори́т, а вы не согла́сны. Продолжа́йте по образцу́.**

**а)** Не разгова́ривай с сосе́дом! ➔ **б)** А я не разгова́риваю!

**1.** Не спи на уро́ке! **2.** Не бе́гай по коридо́ру! **3.** Не жди това́рищей! **4.** Не пой в библиоте́ке! **5.** Не рису́й на столе́! **6.** Не сме́йся, когда́ я говорю́!

**3 Отвеча́йте по образцу́:** **а)** Я хочу́ ей позвони́ть. ➔ **б)** Зна́чит, тебе́ ну́жен её но́мер телефо́на.

**1.** Я хочу́ написа́ть письмо́ Владисла́ву. **2.** Я хочу́ показа́ть ученика́м цифровы́е фотогра́фии. **3.** Я хочу́ нарисова́ть портре́т. **4.** Я хочу́ купи́ть пода́рок. **5.** Я хочу́ посмотре́ть на себя́. **6.** Я хочу́ сфотографи́ровать го́род. **7.** Я хочу́ пое́хать в Ту́лу на по́езде. **8.** Я хочу́ пойти́ к ней домо́й.

**О себе**

**1** **Quelles sont les phrases que prononcent Vitia, sa mère et ses invités ? Choisissez-les parmi celles qui vous sont proposées ici et faites-les correspondre aux dessins.**

**а.** Отойди́ немно́жко!

**б.** Ребя́та, подойди́те сюда́!

**в.** Не уходи́те! Ещё ра́но!

**г.** Заходи́те к нам ещё!

**д.** Проходи́те, пожа́луйста!

**е.** Входи́те!

**1** **Dites quelle est leur fonction ou leur profession.**

**1.** Он де́лает поку́пки. Кто э́то?

**2.** Он продаёт проду́кты и́ли това́ры. Кто э́то?

**3.** Она́ у́чит дете́й в шко́ле. Кто э́то?

**4.** Он собира́ет колле́кцию. Кто э́то?

**5.** Он пи́шет карти́ны. Кто э́то?

**6.** Она́ реставри́рует ико́ны. Кто э́то?

**7.** Он разно́сит пи́сьма и откры́тки. Кто э́то?

**8.** Она́ игра́ет пье́сы в теа́тре. Кто э́то?

**2** **Vous connaissez au moins cinq noms terminés par le suffixe -ость. À partir de quelle catégorie de mots sont-ils formés ? De quel genre sont-ils ? À quelle déclinaison appartiennent-ils ?**

**3** **Recopiez les verbes, puis soulignez les suffixes et entourez les préverbes s'il y a lieu.**

**1.** рассма́тривать. **2.** испы́тывать. **3.** верну́ться. **4.** встава́ть. **5.** влюбля́ться. **6.** интересова́ть.

# ДАВАЙТЕ поспо́рим!

- Счита́ть. А я так не счита́ю.
- Каза́ться / показа́ться.
  Мне ка́жется / мне каза́лось / мне показа́лось.
- По-мо́ему, по-тво́ему, по-ва́шему,
  э́то моё мне́ние, я друго́го мне́ния.
- Это непра́вильно.
- Согла́сен, согла́сна ≠ несогла́сен, несогла́сна,
  прав, права́ ≠ непра́в, неправа́.
- Ошиба́ться / ошиби́ться.
- Во-пе́рвых, во-вторы́х.

**1 Что вы ду́маете о жела́нии Ни́ны? Приду́майте диало́г и разыгра́йте его́:**

Ни́на Куку́шкина говори́т друзья́м, что она́ хо́чет учи́ть францу́зский язы́к. Она́ слы́шит в отве́т ре́плики: «Заче́м тебе́ францу́зский, когда́ сего́дня весь мир говори́т по-англи́йски?» «Молоде́ц! Я то́же всегда́ мечта́л учи́ть францу́зский!»

**2 Что́бы узна́ть страну́, что, по-ва́шему, лу́чше? Да́йте други́е вариа́нты, приведи́те аргуме́нты и соста́вьте диало́ги.**

- Ездить по стране́ с гру́ппой.
- Посмотре́ть как мо́жно бо́льше музе́ев, дворцо́в …
- Путеше́ствовать одному́.
- Ходи́ть пешко́м по у́лицам, е́здить на обще́ственном тра́нспорте …

**3 Поста́вьте ре́плики 1, 2, 3 по́сле ка́ждой фра́зы А, Б, В так, что́бы получи́лся диало́г. Кому́ како́е кино́ нра́вится?**

А – Я ду́маю, что «Олига́рх» – э́то лу́чший фильм после́дних лет.

Б – Наве́рно ты не лю́бишь смотре́ть серьёзные фи́льмы. А я счита́ю, что таки́е фи́льмы на́до пока́зывать лю́дям поча́ще.

В – Коне́чно, серьёзно. Те́ма актуа́льная, актёры прекра́сно игра́ют и режиссёр сде́лал оригина́льный фильм.

1. – А я счита́ю, что кино́ – э́то о́тдых. Мне ка́жется, что жизнь у нас и так тяжела́.

2. – Что там оригина́льного? А я на э́том фи́льме скуча́ла. Га́рри По́ттер, – вот э́то фильм!

3. – Лу́чший фильм? Ты что, серьёзно?

**СТРАНА И ЛЮДИ**

# Оди́н день в го́роде

◇▶ À quel aspect de la vie urbaine fait référence chacune de ces phrases ?

**а.** У теа́тров и конце́ртных за́лов всегда́ мно́го маши́н.

**б.** Все отдыха́ют в па́рках и сада́х.

**в.** Городски́е жи́тели встреча́ются у ста́нций метро́, вокза́лов и торго́вых це́нтров.

**г.** Лю́ди де́лают поку́пки на ры́нках.

**д.** Пенсионе́рки продаю́т на у́лице я́годы и фру́кты.

**е.** Де́ньги нужны́ не то́лько пенсионе́ркам, но и молоды́м музыка́нтам.

# Урок 13 A
## МОСКОВСКОЕ МЕТРО

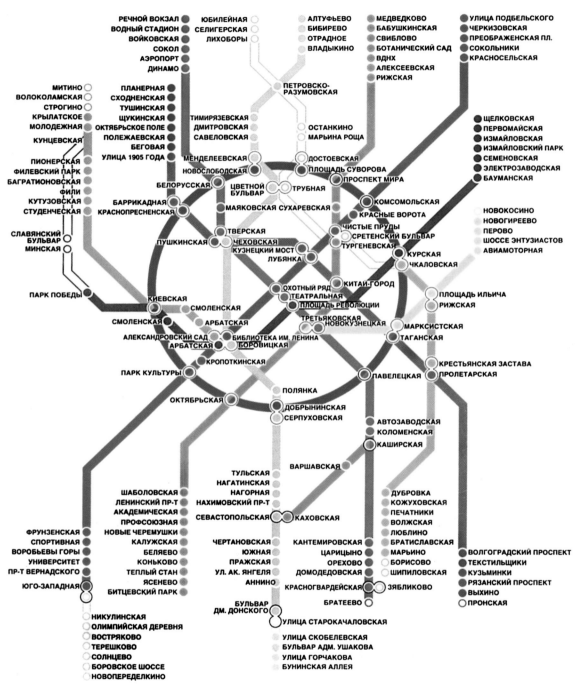

---

**Визи́тная ка́рточка моско́вского метро́**

Год рожде́ния: 1935 г.
Длина́ ли́ний: бо́лее 265 км.
Ста́нции: 171
Переса́дочные ста́нции: 56

Са́мая глубо́кая ста́нция: «Парк побе́ды» (80 ме́тров)
Ваго́ны: 4221
Пассажи́ры в день: о́коло 9 миллио́нов

# КТО-НИБУДЬ ВИДЕЛ АННУ?

**Макси́м:** Бу́дьте любе́зны, позови́те Анну Фабр к телефо́ну.

**Дежу́рная:** Анну Фабр? Сейча́с… Кто-нибудь ви́дел Анну Фабр?… В ко́мнате о́тдыха? Скажи́те ей, что её про́сят к телефо́ну.

*Анна подхо́дит к телефо́ну. Дежу́рная передаёт ей тру́бку.*

**Анна:** Алло́!

**Макси́м:** Приве́т! Это Макси́м. Я два часа́ звоню́ тебе́ на моби́льный и не могу́ дозвони́ться. Что случи́лось?

**Анна:** Ничего́, про́сто я забы́ла моби́льный у подру́ги.

**Макси́м:** Слу́шай, ты сейча́с свобо́дна?

**Анна:** Я собира́лась идти́ в магази́н с подру́гой. А что ты предлага́ешь?

**Макси́м:** Ты по́мнишь, мы с тобо́й говори́ли о вы́ставке сове́тских па́мятников? Мне сейча́с на́до съе́здить туда́, и я поду́мал, что тебя́ э́то заинтересу́ет.

**Анна:** Да, коне́чно, меня́ э́то интересу́ет!

**Макси́м:** Тогда́ дава́й встре́тимся у метро́ мину́т че́рез три́дцать. Договори́лись?

**Анна:** Хорошо́. Я поговорю́ с подру́гой и тебе́ перезвоню́.

| | |
|---|---|
| говори́ть → договори́ться | |
| звони́ть → дозвони́ться | |

Кто-нибудь ви́дел Анну Фабр?
Да, кто-то её ви́дел в ко́мнате о́тдыха.

## ВОПРОСЫ И ЗАДАНИЯ

**1** По́сле звонка́ Макси́ма Анна измени́ла свои́ пла́ны. Она́ звони́т подру́ге. Что она́ ей говори́т?

## ПРАКТИКА

**2 Вставля́йте по смы́слу: -то и́ли -нибудь?**

1. Кто-… мне звони́л? – Да, звони́л како́й-… Ивано́в. 2. Я иду́ в магази́н. Купи́ть тебе́ что́-… на обе́д? – Спаси́бо, я уже́ что́-… купи́л. 3. Как ты ду́маешь, в Каза́ни где́-… есть францу́зский рестора́н? – Да, я где́-… ви́дела. 4. Ты уже́ был в Аме́рике? – Нет, но я когда́-… пое́ду туда́. 5. Вы зна́ете что́-… об э́том худо́жнике? – Нет, но е́сли я что́-… узна́ю, я вам позвоню́. 6. Кто про́дал э́то зе́ркальце? – Наве́рно кака́я-… бе́дная пенсионе́рка.

## 3 Рабо́та в па́рах.

**Maxime demande** à Pascal ce qu'il fait en ce moment.

**Maxime dit** qu'il va aux studios « Mosfilm » (Мосфи́льм) et qu'il a pensé que ça l'intéresse-rait de l'accompagner.

**Maxime lui fixe un rendez-vous** à onze heures à côté de la statue de Koutouzov.

**Pascal répond** qu'il s'apprête à rentrer chez lui.

**Pascal accepte.**

**Pascal confirme** et lui dit « à tout à l'heure ».

## О себе

**4** Дискуссия в кла́ссе: плю́сы и ми́нусы моби́льных телефо́нов в на́шей жи́зни.

111

# урок 13В

## «В СТАЛИНЕ ВСЁ – ОТ ДЬЯВОЛА» (1)

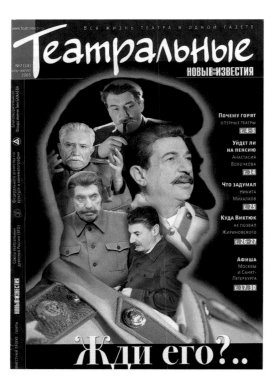

*В моско́вском теа́тре «Совреме́нник» идёт спекта́кль «Полёт чёрной ла́сточки[1]». В нём Игорь Кваша́ игра́ет роль Ста́лина.*
*Вот отры́вки интервью́, кото́рое актёр дал* 5 *журна́лу «Театра́льные Но́вые Изве́стия».*

– Когда́ вы по́няли, что вы похо́жи на Ста́лина?
– В мо́лодости. Вообще́, вы зна́ете, он меня́ всегда́ интересова́л.
– Почему́?
10 – По-мо́ему, э́то норма́льно – живя́[2] в э́той стране́, интересова́ться фигу́рой Ста́лина. Когда́ он у́мер, я пла́кал…
– Вам ско́лько лет тогда́ бы́ло?
– В пятьдеся́т тре́тьем?… Два́дцать.
15 […]
– Я не по́мню, как э́то произошло́ и когда́, но я о́чень бы́стро на́чал всё понима́ть и к нему́ относи́ться уже́ соверше́нно по-друго́му. […]
20 – А как у вас в семье́ к Ста́лину относи́лись?
– У меня́ па́па поги́б на фро́нте, а ма́ма была́ педаго́гом и со мной об э́том ре́дко говори́ла.
– Никого́ из ва́ших ро́дственников репре́ссии не косну́лись[3]?
– Нет. Но, как я пото́м по́нял, мой па́па о́чень пло́хо относи́лся к сове́тской вла́сти. Хотя́ 25 на фронт пошёл доброво́льцем. Пра́вду о Ста́лине я узнава́л от окруже́ния, из литерату́ры, кото́рую привози́ли из-за грани́цы.

1. «Полёт чёрной ла́сточки»: « Le vol de l'hirondelle noire ». 2. Живя́: en vivant, en habitant. 3. Косну́ться: toucher.

| | |
|---|---|
| – Как вы отно́ситесь к … ?<br>– Я ду́маю, что … | Когда́? В э́тот моме́нт.<br>В э́ту мину́ту.<br>В э́то вре́мя. |

## ВОПРОСЫ И ЗАДАНИЯ

**1** Что вы зна́ете о семье́ Игоря Кваши́? Как Игорь Кваша́ относи́лся к Ста́лину, когда́ он был ма́леньким? Как вы счита́ете, почему́? Почему́ он тогда́ не разгова́ривал с роди́телями на ва́жные те́мы? Почему́ его́ отноше́ние к Ста́лину ста́ло меня́ться?

## ПРАКТИКА

**2** **А вы? Что вас интересу́ет? Отвеча́йте по образцу́:**
   **а)** Поли́тика вас интересу́ет?
→ **б)** Да, я давно́ (сейча́с, не́сколько лет…) … . Нет, я никогда́ (совсе́м…) не … .

**1.** Эконо́мика вас интересу́ет? **2.** Филатели́я вас интересу́ет? **3.** Геогра́фия вас интересу́ет? **4.** Литерату́ра вас интересу́ет? **5.** Эколо́гия вас интересу́ет? **6.** Бокс вас интересу́ет? **7.** Джаз вас интересу́ет? **8.** Жи́вопись вас интересу́ет? **9.** Футбо́л вас интересу́ет? **10.** Матема́тика вас интересу́ет?

# «В СТАЛИНЕ ВСЁ – ОТ ДЬЯВОЛА» (2)

– Как вы бы охарактеризова́ли Ста́лина?

– Я ду́маю, Ста́лин – са́мый стра́шный злоде́й в исто́рии челове́чества. Ху́же,
5 чем Ги́тлер, гора́здо.

– Почему́?

– Ги́тлер никогда́ не уничтожа́л свои́х.

– Вы счита́ете, уничтожа́ть чужи́х лу́чше?

10 – Я не говорю́ вам, что Ги́тлер хоро́ший. Я говорю́, что у него́ была́ тео́рия. А у э́того вообще́ никако́й тео́рии не́ было, он убива́л про́сто так – чтобы власть удержа́ть.

15 – Что он, по-ва́шему, сде́лал хоро́шего?

– Я не ви́жу ничего́ хоро́шего в том, что он сде́лал. Говоря́т: вот, индустриализа́ция. А сто́ила ли она́ таки́х жертв колосса́льных? А война́?
20 Ведь пе́ред войно́й он уничто́жил весь кома́ндный соста́в[1]. Ско́лько поги́бло тала́нтливых, у́мных люде́й…

*Театра́льные Но́вые Изве́стия*[2] №7.
Июль-а́вгуст 2005.

О каждом из нас заботится Сталин в Кремле

| намно́го ху́же | гора́здо ху́же |
|---|---|

1. Кома́ндный соста́в: haut commandement.
2. Изве́стие: nouvelle.

## ВОПРОСЫ И ЗАДАНИЯ

**1** Кваша́ счита́ет, что Ста́лин – «са́мый стра́шный злоде́й в исто́рии челове́чества». Каки́ми фа́ктами он иллюстри́рует таку́ю характери́стику Ста́лина? Ду́маете ли вы, что все ру́сские согла́сны с ним?

## ПРАКТИКА

**2 Продолжа́йте по образцу́:**

> **а)** Он прочита́л три кни́ги на э́ту те́му.
>
> → **б)** Да нет, гора́здо бо́льше.

1. Она́ живёт в 20 киломе́трах от Москвы́. **2.** Он хо́дит к подру́ге два ра́за в неде́лю. **3.** Эта ма́йка сто́ит 300 рубле́й. **4.** Она́ чита́ет три́дцать книг в год. **5.** Из Петербу́рга в Москву́ е́хать 10 часо́в. **6.** Он приезжа́ет из Сама́ры два ра́за в ме́сяц.

## О себе

**3** Интересу́етесь ли вы исто́рией Фра́нции во вре́мя войны́? Зна́ете ли вы, как лю́ди жи́ли тогда́ в ва́шем го́роде? Спроси́те ва́ших ба́бушек и де́душек (и́ли ещё кого́-нибудь) об э́том и расскажи́те в кла́ссе.

# ДВОРЦЫ ДЛЯ НАРОДА

➤ Максим и Анна входят в метро на станции «Парк Победы», и пока они спускаются по эскалатору, Максим рассказывает об истории московского метро.

**Анна:** Ты знаешь, Максим, меня всегда удивляло богатство вашего метро. Зачем столько мрамора, зачем эта бронза, ведь страна была очень бедная, когда его строили?

**Максим:** Понимаешь, у вас в Париже метро – это городской транспорт. А у нас строили не просто метро, а дворец коммунизма. Знаешь, как дворцы пионеров, дворцы культуры для народа. Это была пропаганда советской власти, пропаганда новой жизни.

➤ **Анна:** А кто строил метро?

**Максим:** Здесь работали самые разные люди: комсомольцы, которые строили коммунизм, и крестьяне, которые приехали в город, потому что в деревне ничего не платили за работу. Проект делали лучшие инженеры и талантливые архитекторы. Были даже иностранные специалисты.

**Анна:** Да, надо сказать, работу они сделали грандиозную. Но зачем надо было строить такое глубокое метро? Поднимаешься и спускаешься без конца!

**Максим:** Во время войны в метро москвичи прятались от бомб. На станции «Курская» была даже библиотека!

Они поднялись

Они поднимаются

Они спускаются       по лестнице

Они спустились

## ВОПРОСЫ И ЗАДАНИЯ

**1** Что вы узнали о московском метро? Похоже ли оно на парижское метро? А на лондонское метро? Какое метро глубже, красивее… ?

## ПРАКТИКА

**2 Составляйте фразы по образцу:**

> **а)** Они спускаются по эскалатору. Максим рассказывает об истории метро.
>
> → **б)** Пока они спускались по эскалатору, Максим рассказывал об истории метро.

**1.** Максим разговаривает с Софьей Викторовной. Его гости пьют чай. **2.** Анна занимается в университете. Владислав ходит по антикварным магазинам. **3.** Все спят. Анна ищет тайник. **4.** Паскаль общается с филателистами. Максим и Анна смотрят выставку. **5.** Анна смотрит телевизор в комнате отдыха. Её подруга пишет письмо.

## О себе

**3** На каком этаже вы живёте? Вы поднимаетесь к себе на лифте или по лестнице? Нравятся ли вам высокие дома? Были ли вы на верхних этажах небоскрёба[1]? Если да, расскажите, что вы там делали и что вы видели сверху.

1. Небоскрёб: gratte-ciel.

## ГДЕ? КУДА? ОТКУДА?

**1** **Posez-vous les uns aux autres des questions sur ce programme en employant le plus de verbes de déplacement possible.**

Маргари́та Алексе́евна о́чень дово́льна свои́ми ученика́ми. Все серьёзно у́чатся и у неё для них сего́дня сюрпри́з. Когда́ она́ вошла́ в класс, ученики́ уви́дели, что у неё о́чень весёлый вид. Она́ сказа́ла: «Ребя́та, слу́шайте! Ско́ро мы с ва́ми пое́дем в Вели́кий У́стюг. А вы зна́ете, кто там живёт?» Все отве́тили хо́ром: «Дед Моро́з!»

И Маргари́та Алексе́евна начала́ чита́ть програ́мму пое́здки:

| **1 ма́рта**<br>среда́ | 7.50 | Сбор гру́ппы у шко́лы.<br>Трансфе́р.<br>Ла́дожский вокза́л. | |
| | 9.34 | Отправле́ние по́езда СПб-Воркута́. | |
| **2 ма́рта**<br>четве́рг | 8.51 | Прибы́тие на ста́нцию Ядриха. Перее́зд в Вели́кий У́стюг (60 км.).<br>Пешехо́дная экску́рсия по истори́ческой ча́сти го́рода. Обе́д в кафе́.<br>Пое́здка в за́городную резиде́нцию Де́да Моро́за. Игры, ката́ние на надувны́х саня́х, экску́рсия по дворцу́, вруче́ние гра́мот с авто́графом Де́да Моро́за, пода́рки. | |
| **3 ма́рта**<br>пя́тница | 9.00 | За́втрак в гости́нице.<br>Сувени́рный магази́н.<br>Обе́д в кафе́.<br>Фолькло́рный спекта́кль. Ката́ние на тро́йках. | |

## СЛОВАРЬ ЛЕГКО И ПРОСТО

**1** **Trouvez le plus de mots possible à partir de la racine род-.**

**2** **Trouvez au moins douze adverbes de temps, puis douze adverbes de lieu. Écrivez-les.**

**3** **Trouvez les noms qui correspondent aux adjectifs ci-dessous.**

1. городско́й. 2. бога́тый. 3. гру́стный. 4. дли́нный. 5. культу́рный. 6. госуда́рственный.
7. стра́шный. 8. переса́дочный. 9. свобо́дный. 10. вое́нный. 11. религио́зный. 12. обще́ственный.

**4** **Comment dites-vous : *déménager • traverser • prendre une correspondance, changer • changer d'avis • transmettre, passer* ? Expliquez l'emploi du ou des préverbe(s).**

**115**

# ДАВАЙТЕ поговори́м о тра́нспорте!

### В тра́нспорте

- Переда́йте, пожа́луйста, де́сять рубле́й …
- Вы выхо́дите / вы бу́дете выходи́ть на сле́дующей?
  Да. / Нет, че́рез одну́.
- Вы не ска́жете, когда́ бу́дет ста́нция «Чи́стые пруды́» / остано́вка «Технологи́ческий институ́т»?
- Вы не ска́жете, как дое́хать до ста́нции «Проспе́кт ми́ра»?
- Скажи́те, пожа́луйста, куда́ идёт э́тот авто́бус?

*«При вы́ходе из по́езда не забыва́йте свои́ ве́щи!»*

*«Осторо́жно, две́ри закрыва́ются!»*

– Скажи́те, пожа́луйста, как пройти́ к Музе́ю архитекту́ры?
– Музе́й отсю́да далеко́. Вам лу́чше е́хать.
– На авто́бусе и́ли на метро́?
– На авто́бусе. Вам на́до пройти́ ме́тров пятьдеся́т и поверну́ть напра́во. Там бу́дет остано́вка пя́того авто́буса.
– А ско́лько остано́вок прое́хать?
– Три и́ли четы́ре, не по́мню. Вы спро́сите у води́теля.
– Спаси́бо вам большо́е!

### По телефо́ну

- Алло́!
- Позови́те, пожа́луйста, к телефо́ну … !
- Попроси́те, пожа́луйста, … !
- Мне ну́жен Евге́ний. / Мне нужна́ Маргари́та.
- Вас беспоко́ит Анна Васи́льевна.
- Вам не тру́дно позва́ть Андре́я Бори́совича?
- Вам звоня́т из Пари́жа.

Я слу́шаю!
Сейча́с!
Сейча́с позову́!
Мину́точку!
Здра́вствуйте, Анна Васи́льевна!
Вы не туда́ попа́ли!
Кого́ вы спра́шиваете?

**1** Вы звони́те дру́гу (подру́ге). Вам отвеча́ют, что вы оши́блись но́мером. Придума́йте диало́г.

**2** Вы звони́те дире́ктору шко́лы ва́шего ребёнка. Придума́йте диало́г.

# СТРАНА И ЛЮДИ

# Музеóн

◆ Faites connaissance avec ce musée d'un genre nouveau, en associant chaque photographie à l'expression qui la désigne, écrite en caractères italiques.

Парк искýсств "Музеóн" нахóдится на *Крымской нáбережной*, рядом с Центрáльным дóмом худóжника. Этот едúнственный в Россúи музéй скульптýр под открытым нéбом занимáет территóрию почтú в 20 гектáров.

Музéй был сóздан в 1991 годý, когдá были демонтúрованы пáмятники коммунистúческим вождям – такúм, как *Лéнин*, *Стáлин*, *Свердлóв*, *Дзержúнский* и другúе. Мнóгие из этих пáмятников были сóзданы извéстными скýльпторами эпóхи СССР. В нáши дни в коллéкции музéя óколо 700 скульптýр из кáмня, дéрева, брóнзы и другúх материáлов.

1

2

3

4

5

# Урок 14 А
## СНГ

Киев

Украинская дере́вня

Ялта

Россия

Москва

Минск
Беларусь

Киев
Украина

Молдова
Кишинёв

Одесса
Симферополь
Севастополь
Крым
Ялта

Грузия
Тбилиси

Ереван
Армения

Баку
Азербайджан

Астана

Казахстан

Бишкек
Кыргызстан

Ташкент

Узбекистан

Душанбе
Таджикист...

Туркменистан
Ашхабад

# КИЕВ – МАТЬ ГОРОДОВ РУССКИХ

» – Как хорóш весéнний Кѝев!

Пóсле ещё холóдной Москвы̀ так прия́тно сидéть на сóлнышке напрóтив собóра Свято́й Софѝи! Два дня назáд Анна приéхала в Кѝев на Дни Фрáнции в Украѝне. А дýмала онá сейчáс о другóй Анне – Анне Яросла́вне, дóчери Кѝевского кня́зя Яросла́ва Мýдрого, портрéт котóрой тóлько что вѝдела в собóре. Князь Яросла́в в 1050 годý вы́дал свою́ дочь зáмуж за францýзского короля́ Генриха Пéрвого. Интерéсно, как онá тогдá éхала чéрез всю Еврóпу? Какѝм увѝдела Парѝж?

*Анна Яросла́вна (фрéска)*

Ведь Кѝев был тогдá богáтой столѝцей огрóмной страны̀! В Россѝи и сегóдня называ́ют дрéвний Кѝев «мать городóв рýсских».

» Вéчером Анна вернýлась в гостѝницу пóздно и óчень устáлая. Онá срáзу леглá и заснýла. Но её разбудѝл телефóнный звонóк. Кто э́то мóжет быть? Онá никомý не давáла áдрес гостѝницы...

– Аллó! Это Влад! Наконéц-то я тебя́ нашёл: два дня тебя́ ищý! Срóчно выезжáй в Крым!

| | |
|---|---|
| Онá лю́бит дочь. | |
| Онá чáсто разговáривает с дóчерью. | |

| | | |
|---|---|---|
| засыпáть | ≠ просыпáться | будѝть |
| заснýть | проснýться | разбудѝть |

## ВОПРОСЫ И ЗАДАНИЯ

**1 Найдѝте прáвильный отвéт.**

1. Кѝев называ́ют «мать городóв рýсских» потомý, что э́то    **а.** сáмый стáрый гóрод    **б.** сáмый красѝвый гóрод

2. Борщ –    **а.** украѝнский десéрт    **б.** украѝнский суп

3. Имя Яросла́в –    **а.** славя́нское ѝмя    **б.** немéцкое ѝмя

4. Крым нахóдится    **а.** в Украѝне    **б.** в Россѝи

## ПРАКТИКА

**2 Найдѝте эквивалéнтные фрáзы со словáми тѝпа никтó, ничтó, никудá, никогдá...**

**а)** По воскресéньям Нѝна остаётся дóма. → **б)** По воскресéньям онá никудá не хóдит.

1. У Анны нет друзéй в Кѝеве. 2. Владисла́в ни рáзу не был во Фрáнции. 3. Мой друг не читáет ни книг, ни газéт, ни журнáлов. 4. В шкóле Лю́да не разговáривает ни с товáрищами, ни с учителя́ми. 5. Я был во всех магазѝнах, но не смог найтѝ зелёного чáя. 6. Дéвочка не даёт свои́ игрýшки другѝм дéтям.

**3 Продолжáйте по образцý: а)** Мать и дочь вмéсте поéхали отдыхáть.

→ **б)** Мать поéхала отдыхáть с дóчерью.

1. Брат и сестрá игра́ют вмéсте. 2. Сын и мать вмéсте пошлѝ в магазѝн. 3. Муж и женá вмéсте рабóтают. 4. Отéц и сын уéхали в путешéствие вмéсте. 5. Бáбушка и дéдушка вмéсте дéлают покýпки. 6. Дéдушка и внýчка игра́ют в шáхматы вмéсте. 7. Племя́нник и дя́дя вмéсте занима́ются спóртом. 8. Отéц и дочь вмéсте пошлѝ в кинó. 9. Бáбушка и внук смóтрят телевѝзор вмéсте. 10. Дя́дя и племя́нник вмéсте пошлѝ на футбóл.

**4 Продолжáйте диалóг мéжду Анной и Владисла́вом.**

# урок 14B
## ТАИНСТВЕННЫЙ КРЫМ

Че́рез два го́да, когда́ мне бы́ло уже́ четы́рнадцать лет, ма́ма предложи́ла, что́бы мы на э́тот раз пое́хали на ле́то не в Ре́вны, а в Крым.

5 Е́хали мы че́рез[1] Оде́ссу. Опя́ть я встре́тился с мо́рем. У э́тих степны́х берего́в оно́ бы́ло ла́сковее, чем у берего́в Кавка́за.

Мы плы́ли в Я́лту на ста́ром парохо́де «Пу́шкин». Со́лнце проника́ло че́рез 10 иллюмина́торы[2] и откры́тые две́ри. Меня́ поража́л ю́жный свет. От него́ сверка́ло всё, что то́лько могло́ сверка́ть. Да́же гру́бые паруси́новые занаве́ски[3].

Крым подня́лся из морско́й голубизны́, 15 как о́стров Сокро́вищ[4]. Облака́ лежа́ли на верши́нах его́ сире́невых[5] гор. Бе́лый Севасто́поль ме́дленно плыл нам навстре́чу.

20

Отры́вок из кни́ги Паусто́вского, *Далёкие го́ды*.

1. Ре́вны: городо́к в центра́льной Росси́и. 2. Иллюмина́тор: hublot. 3. Паруси́новые занаве́ски: rideaux en toile de voile. 4. О́стров Сокро́вищ : l'Île au trésor. 5. Сире́невый: couleur lilas.

*Ю́жный бе́рег Кры́ма*

## ВОПРОСЫ И ЗАДАНИЯ

**1** *На страни́це 124.*

## ПРАКТИКА

**2 Продолжа́йте по образцу́:** **а)** Дава́й пое́дем ле́том в Крым, – предложи́ла ма́ма.

→ **б)** Ма́ма хоте́ла, что́бы мы пое́хали в Крым.

1. Тебе́ на́до есть поме́ньше, – сказа́л до́ктор. 2. Иди́ спать, – сказа́ла ба́бушка. 3. Тебе́ на́до пить витами́ны, – сказа́л па́па. 4. Пошли́ в кино́, – сказа́л мой друг. 5. Купи́ мне но́вую руба́шку, – попроси́л муж жену́. 6. Дава́й напи́шем письмо́ де́душке, – предложи́ла мне сестра́. 7. Дава́йте позвони́м в Москву́, – предложи́ли на́ши друзья́. 8. Принеси́ мне воды́, – попроси́ла ма́ма.

**3 Продолжа́йте по образцу́:** **а)** Мо́ре в Оде́ссе тёплое, а в Со́чи оно́ … .

→ **б)** ещё тепле́е.

1. «Пу́шкин» большо́й парохо́д, а «Нахи́мов»… . 2. «Пу́шкин» идёт ме́дленно, а «Нахи́мов»… . 3. На парохо́де «Пу́шкин» молодо́й капита́н, а на «Нахи́мове» капита́н… . 4. Я́лта краси́вая, а Оде́сса… . 5. Го́ры в Крыму́ высо́кие, а на Кавка́зе они́… . 6. Крым далеко́ от Москвы́, а Кавка́з… . 7. О́зеро Байка́л глубо́кое, а Чёрное мо́ре… . 8. Я́лта ма́ленький го́род, а Ре́вны ещё… .

## О себе́

**4** Вы предпочита́ете отдыха́ть в дере́вне, в гора́х и́ли на мо́ре? Почему́?

# ТАИНСТВЕННЫЙ КРЫМ (продолже́ние)

До Ялты «Пу́шкин» добра́лся ве́чером. Он ме́дленно вплыва́л в я́лтинскую га́вань[1], как в садо́вую бесе́дку, у́бранную огня́ми[2]. Мы спусти́лись на ка́менный мол[3].

5 Пе́рвое, что я уви́дел, была́ теле́жка у́личного торго́вца. Над ней висе́л фона́рь[4]. Он освеща́л пуши́стые пе́рсики и больши́е си́зые сли́вы.

Мы купи́ли пе́рсиков и пошли́ в гости́ницу 10 «Джали́та». Весёлые носи́льщики тащи́ли

на́ши вещи. Я так уста́л, что в гости́нице сра́зу засну́л, едва́ заме́тив[5] чёрные кипари́сы за о́кнами. Како́е-то вре́мя я 15 ещё слы́шал, как то́неньким го́лосом напева́л фонта́н во дворе́. Пото́м сон по́днял меня́ и понёс куда́-то далеко́, в чуде́сную страну́ – сестру́ таинственного Кры́ма.

20 Отры́вок из кни́ги Паусто́вского, *Далёкие го́ды.*

1. Га́вань: port. 2. Бесе́дка, у́бранная огня́ми: une tonnelle décorée de petites lumières. 3. Ка́менный мол: la jetée de pierre. 4. Фона́рь (m.): lanterne. 5. Едва́ заме́тив: en ayant à peine remarqué.

У ма́льчика хоро́ший сон
= он хорошо́ спит.
Ма́льчик ви́дел сон.
Во сне он ви́дел чуде́сную страну́.

Кры́мские го́ры

пе́рсик   сли́ва   виногра́д   абрико́с

ви́шня   я́блоко   гру́ша   апельси́н

## ВОПРОСЫ И ЗАДАНИЯ

▮ **Перескажи́те текст.** Геро́й расска́за с ма́терью приплы́ли в Ялту …

## ПРАКТИКА

▮ **Сего́дня всё не так, как обы́чно.**

Обы́чно Мара́т встаёт ра́но.
Обы́чно он просыпа́ется в 7 часо́в.
Обы́чно жена́ его́ не бу́дит.
Обы́чно он ухо́дит на рабо́ту в 8 часо́в.
Обы́чно он начина́ет рабо́тать в 8:30.
Обы́чно он ложи́тся спать по́здно.
Обы́чно он засыпа́ет сра́зу.

**Приду́майте фра́зы.**

А сего́дня он встал по́здно.
А сего́дня …
…
…
…
…
…

▮ **Во вре́мя путеше́ствия ма́льчик слы́шал и́ли ви́дел…?**

**а)** То́неньким го́лосом напева́л фонта́н.

→ **б)** Он слы́шал, как то́неньким го́лосом напева́л фонта́н.

1. Де́вушка спуска́лась на мол. 2. Ве́село смея́лись носи́льщики. 3. Фона́рь освеща́л кипари́сы.
4. Пассажи́ры разгова́ривали. 5. Ма́ма сказа́ла: «Иди́ спать!» 6. Облака́ лежа́ли на гора́х.
7. Ма́ма покупа́ла пе́рсики. 8. Парохо́д отплыва́л из Севасто́поля.

## О себе

▮ Вы ча́сто ви́дите сны? Когда́ и како́й сон вы ви́дели в после́дний раз?

# ДЕВУШКА В БЕЛОМ

» Анна сразу её узнала: по глазам, по выражению лица... Этот медальон Анна видела с детства. Да, да, да! Эта загадочная, юная (даже более молодая, чем Анна) девушка – её прабабушка Зинаида. Это её портрет.

– Ну что? Что ты молчишь? – уже третий раз спрашивает Владислав. – Анатолий тебе всё расскажет.

– Вы, наверное, хотите знать, как этот портрет оказался у меня? Вы знаете, я давно коллекционирую живопись. А в 1994 году купил этот дом в Ялте. Я искал старый, типично крымский дом и когда увидел этот – сразу в него влюбился.

» А потом я узнал, что в этом доме жил и работал художник Володин. Вот эта веранда, где мы сейчас сидим, – это была его мастерская. Я, правда, ничего не знал о нём и картин его никогда не видел. Но я сразу почувствовал, что в этом доме должны быть картины Володина. И я стал их искать по всей России и здесь, в Крыму. Для меня – это прекрасный художник. А когда мне позвонили из Казани и сказали, что есть работа Володина, я сразу поехал...

– И Анатолий купил портрет! – воскликнул Владислав. – Аня, ну что ты молчишь? Ты ещё не знаешь самое интересное: Анатолий дарит портрет музею!

– Значит портрет вернётся в Отрадное? – тихо сказала Анна и опять посмотрела на картину.

*Её глаза как два тумана,*
*Полу-улыбка, полу-плач...*

## ВОПРОСЫ И ЗАДАНИЯ

**1** Как реагирует Анна, когда она наконец видит портрет Зинаиды? С кем она знакомится в Ялте? По-вашему, какие чувства испытывает Анна?

## ПРАКТИКА

**2 Дополните фразы именами героев истории портрета.**

1. Сейчас Анна, Владислав и Анатолий находятся в мастерской ... . Он жил здесь с женой с 1928 по 1987 год. **2.** Олег женился на ... в 1925 году. Она тоже была талантливая художница. **3.** У ... был только один сын, Игорь, который эмигрировал в Германию в 1978 году. **4.** Недавно Анатолий написал письмо ..., чтобы узнать, нет ли у него картин отца. **5.** Анатолий надеется, что сможет когда-нибудь с ним встретиться. К сожалению, он не встретился с ..., который умер в 1990 году. **6.** А с ... он мог бы встретиться: она ведь умерла только в 1998 году.

*Надежда Володина (девичья фамилия Осипова)*

*Олег Володин*

**3 Продолжайте по образцу:**

**а)** Анатолий поговорил с коллекционером. → **б)** Он часто говорит с коллекционерами.

**1.** Он позвонил антиквару. **2.** Он купил картину. **3.** Он познакомился с американцем. **4.** Он пригласил к себе иностранца. **5.** Он показал картину коллекционеру. **6.** Он подарил картину другу.

## ГДЕ? КУДА? ОТКУДА?

**1** Vitia se remémore quelques-uns des bons et moins bons moments de cette année. Racontez-les en vous aidant des images.

Одна́жды я сиде́л у окна́…

Во вре́мя кани́кул…

В нача́ле уче́бного го́да …

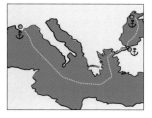

В ию́ле Жо́ра…

Осенью …

К сожале́нию ба́бушка …

## СЛОВАРЬ ЛЕГКО И ПРОСТО

**1** Chassez l'intrus dans chaque colonne!

| | | | |
|---|---|---|---|
| гру́стный | ка́менный | просну́ться | ла́сковый |
| споко́йный | бро́нзовый | посла́ть | жесто́кий |
| сире́невый | золото́й | засну́ть | стра́шный |
| весёлый | деревя́нный | просыпа́ться | деспоти́чный |
| до́брый | у́личный | буди́ть | ужа́сный |

| | | | |
|---|---|---|---|
| ю́ность | гнев | маркси́зм | глаз |
| ста́рость | сча́стье | социали́зм | нос |
| молодёжь | весе́лье | ленини́зм | нога́ |
| де́тство | наде́жда | экспрессиони́зм | боль |
| мо́лодость | ра́дость | коммуни́зм | спина́ |

**2** Complétez les phrases avec le verbe дава́ть/дать ou l'un de ses composés.

**1.** В како́м году́ князь Яросла́в … свою́ дочь за́муж за францу́зского короля́ Ге́нриха Пе́рвого? **2.** Я не понима́ю, почему́ в э́той апте́ке не … валокарди́н. **3.** На бу́дущей неде́ле моя́ сестра́ е́дет в Петербу́рг. Я хоте́ла бы, что́бы она́ … письмо́ и приглаше́ние мои́м ста́рым петебу́ргским друзья́м. **4.** Газе́ту «Пра́вда» … большевики́. **5.** Роди́тели мне … де́ньги на кино́, ве́чером я пойду́ смотре́ть но́вый фильм Ли́дии Бобро́вой.

**3** Trouvez les antonymes.

мно́го • бы́стро • спра́шивать • стоя́ть • но́вый • после́дний • давно́ • бе́лый • мо́жно • всегда́ • бе́дный • бли́зко • весёлый • войти́ • подойти́ • прийти́ • продава́ть • мо́лодость • дли́нный • дорого́й • жизнь • бо́льше • мужско́й • высо́кий • просну́ться • ю́ный • везде́ • снача́ла • вопро́с

# ДАВАЙТЕ поговори́м
# о прочи́танном те́ксте!

**❶ Après avoir lu la première partie du texte** Таи́нственный Крым **(p. 120), vous pouvez sans doute répondre aux questions :**

1. Ско́лько лет геро́ю расска́за?
2. Куда́ он е́здил ле́том?
3. С кем?
4. Ви́дел ли он ра́ньше мо́ре?
5. Кака́я была́ пого́да во вре́мя его́ путеше́ствия?
6. Каки́е города́ он ви́дел?
7. Нра́вилось ли ему́ то, что он ви́дел?

> Même sans connaître tous les mots d'un texte, vous pouvez souvent saisir son sens général. Cette compréhension globale suffit parfois pour lire un texte informatif tel qu'un article de journal.

> Mais si vous voulez comprendre ce qu'a exprimé l'auteur dans un texte littéraire, tous les mots sont importants.

**❷ Relevez les mots que vous ne comprenez pas dans les deux parties du texte de** Паусто́вский **(pp. 120-121), lisez les conseils et répondez aux questions ci-dessous.**

## Conseils

**1. *Vous pouvez essayer de déduire le sens des mots :***

– du fait de leur ressemblance avec un mot français. Ex. фонта́н (texte 2, ligne 9)

– grâce au contexte. Ex. парохо́д (мы плы́ли в Ялту на ста́ром парохо́де «Пу́шкин» 1, 5)

– à l'aide de vos connaissances générales. Ex. Крым (1, 2)

– parce que vous connaissez le mot dont ils sont dérivés. Ex. степны́х (1, 3) vient du mot степь.

**2. *Lorsqu'aucun élément ne permet de comprendre le sens d'un mot, recourez au dictionnaire.***

**3. *Analysez les cas employés pour comprendre la fonction de chaque mot et saisir à quoi renvoient certains pronoms, ou adverbes de lieu ou de temps.***

## Questions

**1.** Trouvez le sens des adjectifs : откры́тый (1, 6), ю́жный (1, 6), морско́й (1, 8), я́лтинский (2, 1), у́личный (2, 3) ; des verbes : вплыва́л (2, 1), напева́л (2, 9) ; de l'adverbe : навстре́чу (1, 10) ; des noms : голубизна́ (1, 8), носи́льщик (2, 6).

**2.** Si vous cherchez le mot ла́сковое (1, 4) dans un dictionnaire russe-français, vous trouvez : *câlin, tendre, doux, affable, caressant*. Quelle traduction vous semble convenir ici ?

**3.** Cherchez maintenant le mot сон (2, 10) et réfléchissez à son sens dans le contexte.

**4.** Dans le texte de Паусто́вский, on trouve deux ou trois phrases où il y a une inversion du sujet. Ex. Ехали мы че́рез Ялту. Trouvez une autre phrase où le sujet est inversé, quelques lignes plus loin.

**5.** Dans «Опя́ть я встре́тился с мо́рем. У э́тих степны́х берего́в оно́ бы́ло ла́сковее, чем у берего́в Кавка́за.», à quel mot renvoie le pronom оно́ ?

# Портре́ты

◁▶ Vous découvrez, sur ces photographies, l'aïeule d'Anna, Zinaïda, à trois âges de sa vie et ses parents. Pourriez-vous attribuer une date à chaque photographie ?

**а. Ялта, 1903;**

**б. Отра́дное, 1915;**

**в. Отра́дное, 1917;**

**г. Пари́ж, 1934.**

1

2

3

4

# grammaire

## Урок 1

### 1. Le nominatif pluriel des noms masculins en /a/

Certains noms masculins ont un nominatif pluriel en /**a**/ (-а, -я) toujours accentué.

➠ дом / дома́, го́род / города́, бе́рег / берега́, лес / леса́, о́стров / острова́, ве́чер / вечера́, а́дрес / адреса́, па́спорт / паспорта́, по́езд / поезда́, учи́тель / учителя́.

*NB*: l'accent reste final à tous les autres cas.

### 2. Le génitif pluriel des noms

| | 1ʳᵉ déclinaison | | 2ᵉ déclinaison | | | |
|---|---|---|---|---|---|---|
| | | | masculin | | neutre | |
| | base dure | base molle | base dure | base molle | base dure | base molle |
| N | газе́ты | неде́ли | журна́лы | портфе́ли | слова́ | моря́ |
| G | газе́т | неде́ль | журна́лов | портфе́лей | слов | море́й |

### 3. Le génitif pluriel des pronoms-adjectifs possessifs

Pour tous les adjectifs et pronoms-adjectifs, il y a une seule déclinaison pour les trois genres.

| N | мой | на́ши |
|---|---|---|
| G | мои́х | на́ших |

### 4. Le génitif pluriel du pronom-adjectif démonstratif э́тот

| N | э́ти |
|---|---|
| G | э́тих |

### 5. Le génitif pluriel de l'adjectif en base dure

| N | но́вые |
|---|---|
| G | но́вых |

### 6. La voyelle mobile

Dans la première déclinaison, le génitif pluriel est en désinence zéro. C'est donc à ce cas que peut apparaître une voyelle mobile, dans des mots dont la base, telle qu'elle apparaît à toutes les autre formes, se termine par deux consonnes. Exemples:

– noms terminés en -ка après consonne, sauf chuintante:

➠ по́л(о)к   буты́л(о)к

– noms terminés en -ка après chuintante:

➠ де́воч(е)к   ба́буш(е)к   ру́ч(е)к

– c'est également au génitif pluriel qu'une voyelle mobile peut apparaître dans certains noms de genre neutre à base dure.

➠ о́к(о)н   пи́с(е)м

## 7. La syntaxe des numéraux

1 оди́н (masculin)
  одна́ (féminin)     } + nominatif singulier du nom
  одно́ (neutre)

2 два (masculin et neutre)
  две (féminin)
3 три               } + génitif singulier du nom
4 четы́ре

5 пять et au-delà       + génitif pluriel du nom

Dans les nombres composés, c'est le dernier élément du nombre qui détermine la forme du nom.

➧ два́дцать оди́н журна́л     со́рок четы́ре кварти́ры

## 8. L'expression de l'heure

| Quelle heure est-il? | | À quelle heure? | |
|---|---|---|---|
| Ско́лько вре́мени? | | Во ско́лько? | |
| час | час два́дцать | в час | в час два́дцать |
| два часа́ | два три́дцать | в два часа́ | в два три́дцать |
| три часа́ | три | в три часа́ | в три |
| пять часо́в | | в пять часо́в | |
| оди́ннадцать часо́в | | в оди́ннадцать часо́в | |
| оди́ннадцать со́рок пять | | в оди́ннадцать со́рок пять | |

## 9. Le nom attribut du sujet

Avec le verbe *être* à l'infinitif ou avec un verbe autre que *être*, il se met à l'instrumental.

➧ Он хо́чет быть журнали́ст**ом**.   Она́ рабо́тает врачо́**м**.

## 10. Le pronom réciproque друг дру́га

L'expression друг дру́га est un des moyens d'exprimer la réciprocité. Elle n'a bien sûr pas de forme au nominatif. Le premier élément est invariable ; le deuxième élément se décline, mais ne prend pas la marque du genre et du nombre.
Quand une préposition est nécessaire, elle vient s'intercaler entre les deux éléments.

| | |
|---|---|
| A | друг дру́г**а** |
| G | друг дру́г**а** |
| D | друг дру́г**у** |
| I | друг дру́г**ом** |
| L | друг (о, в, на) дру́г**е** |

➧➧ Задава́йте друг дру́гу вопро́сы.
Posez-vous des questions les uns aux autres.

## 11. Les verbes de déplacement préverbés

Ils sont formés sur les verbes de déplacement, mais ne présentent pas d'opposition entre déterminés et indéterminés. Ils fonctionnent comme les autres couples verbaux. On forme l'imperfectif à partir de l'indéterminé et le perfectif à partir du déterminé.

Indéterminé ходи́ть ➙ Imperfectif    приходи́ть   уходи́ть
Déterminé  идти́ ➙ Perfectif       прийти́     уйти́
                                 при: arrivée   у: départ

Des modifications peuvent se produire dans le verbe dérivé : идти́ ➙ -йти́
                                              е́здить ➙ -езжа́ть

# Урок 2

## 1. Le datif, l'instrumental et le locatif pluriel des noms

Les désinences sont les mêmes pour toutes les déclinaisons.

| | 1re déclinaison | | 2e déclinaison | | | |
|---|---|---|---|---|---|---|
| | | | masculin | | neutre | |
| | base dure | base molle | base dure | base molle | base dure | base molle |
| N | газéт**ам** | недéл**ям** | журнáл**ам** | портфéл**ям** | слов**áм** | мор**я́м** |
| I | газéт**ами** | недéл**ями** | журнáл**ами** | портфéл**ями** | слов**áми** | мор**я́ми** |
| L | газéт**ах** | недéл**ях** | журнáл**ах** | портфéл**ях** | слов**áх** | мор**я́х** |

## 2. Le datif, l'instrumental et le locatif pluriel des pronoms-adjectifs possessifs

Les désinences sont les mêmes pour les trois genres.

| D | мо**и́м** | тво**и́м** | нá**шим** | вá**шим** |
|---|---|---|---|---|
| I | мо**и́ми** | тво**и́ми** | нá**шими** | вá**шими** |
| L | мо**и́х** | тво**и́х** | нá**ших** | вá**ших** |

## 3. Le datif, l'instrumental et le locatif pluriel du démonstratif э́тот

Les désinences sont les mêmes pour les trois genres.

| D | э́т**им** |
|---|---|
| I | э́т**ими** |
| L | э́т**их** |

## 4. Le datif, l'instrumental et le locatif pluriel des adjectifs en base dure

Les désinences sont les mêmes pour les trois genres.

| D | нóв**ым** |
|---|---|
| I | нóв**ыми** |
| L | нóв**ых** |

## 5. L'expression de la possession au passé

Forme affirmative :  у + génitif +  был
была́
бы́ло
бы́ли
} accordé avec le sujet au nominatif

У Макси́ма  был при́нтер.
У Макси́ма  была́ энциклопéдия.

Forme négative :  у + génitif +  нé было + génitif
У Макси́ма  нé было цифров**óго** фотоаппарáт**а**.
У Макси́ма  нé было цифров**óй** кáмер**ы**.

## 6. Les propositions impersonnelles avec prédicat verbal

Le verbe est toujours à la 3e personne, quelle que soit la personne concernée. Au passé, le verbe se met au neutre.

▸ Ребя́там хóчется отдыхáть.
▸ Им хотéлось отдыхáть.

**128**

# Урок 3

## 1. La déclinaison de люди et дети

Il s'agit du pluriel des noms человек et ребёнок.

| N | люди | дети |
|---|------|------|
| A | людей | детей |
| G | людей | детей |
| D | людям | детям |
| I | людьми | детьми |
| L | людях | детях |

*Notez les formes irrégulières de l'instrumental et l'accent mobile.*

## 2. Le pronom себя

Il est réfléchi, c'est-à-dire qu'il renvoie au sujet de la proposition ; c'est pourquoi il n'a pas de forme de nominatif. Son emploi est obligatoire.

| A | себя |
|---|------|
| G | себя |
| D | себе |
| I | собой |
| L | себе |

▸▸ Она взяла с собой плащ. Он никогда не говорит о себе.

## 3. L'expression de la durée projetée

On emploie la préposition на qui régit ici l'accusatif.

▸▸ Лида и Игорь приехали сюда **на неделю** / **на три дня**.
**Lida et Igor sont venus ici pour une semaine / pour trois jours.**

# Урок 4

## 1. Déclinaison des noms à base en /j/

• Génitif pluriel masculin en **/ов/** (-ёв, -ев) :

▸▸ музеев       комментариев

• Aux cas présentant une désinence zéro, le /j/ a la graphie й.

▸▸ 5 зданий

• Noms terminés par -ий, -ие, -ия : les désinences en -e de la déclinaison régulière sont écrites -и.

▸▸ во Франции   в здании       *Voir le tableau du mémento grammatical page 144.*

## 2. L'expression de la date : l'année et le mois

| | | |
|---|---|---|
| • Какой год? | Тысяча девятьсот девяносто<br>cardinaux<br>nominatif | первый год<br>ordinal<br>nominatif |
| • В каком году? | В тысяча девятьсот девяносто<br>cardinaux<br>nominatif | первом году<br>ordinal<br>locatif |

• В каком месяце какого года?       В декабре тысяча девятьсот девяносто первого года
                                                            locatif                cardinaux           ordinal
                                                                 nominatif          génitif

### 3. L'accord du verbe avec un numéral ou un adverbe de quantité

Lorsque le sujet d'un verbe est composé d'un numéral ou d'un adverbe de quantité suivi d'un groupe nominal, le verbe peut être au singulier (accord grammatical) ou au pluriel (accord par le sens). Au passé, l'accord grammatical est le plus fréquent.

➤ Ско́лько челове́к жи́ло в э́той кварти́ре? В э́той кварти́ре жи́ло 14 челове́к.

### 4. Le futur du verbe быть

On l'obtient en conjuguant le verbe быть :

Я бу́ду, ты бу́дешь, он бу́дет, мы бу́дем, вы бу́дете, они́ бу́дут.

### 5. Le futur

De même qu'il existe deux passés, le passé imperfectif et le passé perfectif, il existe deux futurs, le futur imperfectif et le futur perfectif.

Le futur imperfectif se forme en conjuguant le verbe быть et en lui ajoutant le verbe à l'infinitif imperfectif.

➤ Я бу́ду рабо́тать до ве́чера.

Le futur perfectif se forme en conjuguant le verbe perfectif.

➤ За́втра он пое́дет в Москву́.

L'emploi du futur imperfectif et du futur perfectif se rattache aux valeurs générales des aspects.

| Imperfectif | Perfectif |
|---|---|
| L'action est envisagée pour elle-même, comme un simple fait.<br>Я бу́ду ждать тебя́ у ста́нции метро́.<br>Здесь бу́дут стро́ить ба́шню. | Il inscrit l'action dans une dynamique, projette dans quelque chose qui est au-delà de l'action.<br>Здесь постро́ят ба́шню. |
| On met l'accent sur le développement, le processus, et pour certains verbes, sur l'occupation.<br>Ве́чером я бу́ду рабо́тать в реда́кции. | On met l'accent sur l'achèvement, le résultat.<br>Я прочита́ю все газе́ты. |
| D'où l'emploi avec des indicateurs de durée.<br>Как до́лго вы бу́дете стро́ить э́ту ба́шню? | |
| Il permet de décrire une toile de fond…<br>Наве́рно он бу́дет спать, | … sur laquelle survient un évènement.<br>когда́ придёт Ната́ша. |
| Lorsqu'il y a une succession d'actions, elles sont généralement dissociées.<br>На кани́кулах я бу́ду отдыха́ть, занима́ться спо́ртом, е́здить на велосипе́де… | Les actions s'enchaînent les unes aux autres.<br>За́втра я пое́ду в центр Москва́-Си́ти, сде́лаю там не́сколько фотогра́фий, а пото́м поговорю́ с архите́ктором. |
| Il peut aussi exprimer la répétition.<br>Я бу́ду звони́ть ему́ ка́ждый день. | |

# Урок 5

## 1. La 3ᵉ déclinaison des noms

C'est celle des noms féminins terminés par une consonne molle (par un signe mou dans la graphie).

|   | singulier | pluriel |
|---|-----------|---------|
| N | тетра́дь | тетра́ди |
| A | тетра́дь | тетра́ди |
| G | тетра́ди | тетра́дей |
| D | тетра́ди | тетра́дям |
| I | тетра́дью | тетра́дями |
| L | тетра́ди | тетра́дях |

## 2. Le complément de durée

Il peut être exprimé à l'accusatif sans préposition.

▸▸ Я слы́шала об э́том ме́сте всю жизнь.

▸▸ Он рабо́тал весь ве́чер.

## 3. Le pronom-adjectif оди́н, одна́, одно́, одни́

Il signifie « seul » ou « le seul » ; il peut également avoir le sens de l'article indéfini français.

▸▸ Она́ разгова́ривала с одни́м това́рищем.

Employé comme attribut, il reste toujours au nominatif.   ▸▸ Я прие́ду не одна́.

## 4. L'adjectif attribut du sujet

• Avec le verbe *être*

– Au présent (verbe non exprimé), il est au nominatif.   ▸▸ Су́мка тяжёлая.

– Au passé, on peut avoir le présent ou le passé.

▸▸ Су́мка была́ тяжёлая.     Су́мка была́ тяжёлой.

• Avec les substituts du verbe *être*, on emploie l'instrumental à tous les temps.

▸▸ Су́мка каза́лась ему́ тяжёлой.

## 5. L'interrogation directe

Lorsque la question ne comporte pas de mot interrogatif, elle est identique à l'affirmation correspondante. Seule l'intonation les différencie, à l'oral.

▸▸ Они́ пое́дут на откры́тие культу́рного це́нтра.

▸▸ Они́ пое́дут на откры́тие культу́рного це́нтра?

Il est cependant possible, dans un registre plus soutenu, d'employer la particule ли, qui se place après le mot ou le groupe de mots sur lequel porte l'interrogation.

▸▸ Прие́дут ли они́ на откры́тие культу́рного це́нтра?

## 6. L'interrogation indirecte

• Lorsque la question est introduite par un pronom, adverbe ou adjectif interrogatif, celui-ci permet comme en français d'introduire la subordonnée interrogative.

▸▸ Она́ зна́ет, кем она́ хо́чет быть.

▸▸ Они́ не по́мнят, когда́ откро́ется центр.

▸▸ Обяза́тельно скажи́, каки́м по́ездом ты приезжа́ешь.

• En l'absence de pronom ou adverbe interrogatif, on utilise la particule ли, placée en deuxième position dans la subordonnée, après le mot ou le groupe nominal sur lequel porte l'interrogation.

➡ Она́ не зна́ет, получи́л ли он ба́льную кни́жку.

➡ Он спра́шивает, по-францу́зски ли она́ говори́ла.

### 7. L'aspect après les verbes de phase (*commencer, continuer, finir*)

L'imperfectif est obligatoire (l'action est conçue dans son développement).

➡ На́чали стро́ить транссиби́рскую магистра́ль в 1891 году́.

➡ Она́ ко́нчила писа́ть рома́н неде́лю наза́д.

# Уро́к 6

### 1. Les noms masculins : pluriels irréguliers en N /j/+/a/ (-ья), G /j/+/ov/ (-ей)

друг → друзья́, друзе́й, друзья́м, друзья́ми, друзья́х

сын → сыновья́, сынове́й, сыновья́м, сыновья́ми, сыновья́х

муж → мужья́, муже́й, мужья́м, мужья́ми, мужья́х

L'accent est final dans toute la déclinaison.

### 2. Les noms masculins : le génitif en /u/ (-у, -ю)

C'est un génitif partitif, servant à désigner une certaine quantité de quelque chose. Il se forme sur certains noms. ➡ Ты хо́чешь ча́ю?

### 3. La déclinaison du pronom-adjectif весь

|   | singulier | | | pluriel |
|---|---|---|---|---|
|   | masculin | neutre | féminin | |
| N | весь | всё | вся | все |
| A | ↖↘ | всё | всю | ↑↓ |
| G | всего́ | | всей | всех |
| D | всему́ | | всей | всем |
| I | всем | | всей | все́ми |
| L | (обо) всём | | всей | всех |

### 4. L'expression de la date (suite)

Она́ прие́хала в Пари́ж деся́того    октября́    ты́сяча девятьсо́т    семна́дцатого го́да.

           ordinal au génitif         cardinaux au nominatif    ordinal au génitif

Pour indiquer le quantième du mois, on utilise l'ordinal au génitif.

### 5. La forme courte de l'adjectif

Les adjectifs terminés par les désinences /oj/, /aja/, /ojo/, /ije/ sont à la forme longue.
Certains adjectifs possèdent une forme courte.

|   | singulier | | | pluriel |
|---|---|---|---|---|
|   | masculin | féminin | neutre | |
|   | /Ø/ | /a/ | /o/ | /i/ |
|   | краси́в | краси́ва | краси́во | краси́вы |

Une voyelle mobile apparaît parfois, au masculin.

▸ свобо́дный    свобо́ден
▸ больно́й     бо́лен

• Les adjectifs de relation (ру́сский) ne possèdent pas de forme courte.
• L'adjectif рад ne possède que la forme courte.
• L'adjectif à la forme courte ne s'emploie que comme attribut du sujet. Il est indéclinable.

La forme courte correspond à une caractérisation particulière, à une mise en contexte.
• C'est pourquoi on l'emploie obligatoirement :
– pour certains adjectifs (employés dans le contexte d'une situation précise) lorsqu'ils sont attributs ;
▸ Чай гото́в.
– lorsque l'attribut est accompagné d'un complément ▸ Он бо́лен гри́ппом.
– avec э́то, всё et что. ▸ Это вку́сно. Всё но́во. Что пло́хо?

• C'est pourquoi on l'emploie aussi en concurrence avec la forme longue, avec une valeur relative en rapport avec une situation précise.

| Forme courte : qualité relative ou passagère | Forme longue : qualité absolue ou permanente |
|---|---|
| Он бо́лен. Il est malade (en ce moment). | Он больно́й. C'est un malade. |
| Я свобо́ден. Je suis libre (en ce moment, je ne suis pas occupé.) | Он свобо́дный. C'est quelqu'un de libre (par son caractère ou sa situation). |
| Эти ту́фли мне малы́. Ces chaussures me sont (trop) petites. | Эта же́нщина ма́ленькая. Cette femme est petite (dans l'absolu). |
| Elle peut donc exprimer une appréciation plus subjective, et accentuer le sens ; | |
| Как она́ краси́ва! Comme elle est belle ! (Je la trouve belle.) | |

# Урок 7

## 1. Les noms masculins : pluriels irréguliers en N /j/ + /a/ (-ья), G / j/ + /ov/ (-ев)

брат ➜ бра́тья, бра́тьев, бра́тьям, бра́тьями, бра́тьях
стул ➜ сту́лья, сту́льев, сту́льям, сту́льями, сту́льях

## 2. Les adjectifs en base molle

Les désinences sont les mêmes que pour les adjectifs en base dure. Sur le plan orthographique, la voyelle initiale de la désinence est une voyelle de 2e série.

▸ после́дний, после́дняя, после́днее, после́дние

## 3. Le pronom relatif кото́рый

– il représente un nom ou un pronom, placé dans une proposition qui précède la proposition relative et qui est son antécédent ;
– il s'accorde en genre et en nombre avec son antécédent ;
– son cas est déterminé par sa fonction à l'intérieur de la relative ;
– il se décline comme un adjectif.

➡ **Подру́гу** Эли́з, <u>кото́рая</u> живёт в Петербу́рге, зову́т Да́ша.

      └─────── f. sing. ───────┘    └── N ──┘

➡ Она́ звони́ла **де́вушке**, **с кото́рой** Анна подружи́лась в про́шлом году́.

Le relatif complément de nom se place après le nom dont il est complément.

➡ Журнали́ст, семья́ **кото́рого** живёт в Костроме́, рабо́тает в журна́ле «Вре́мя».

### 4. L'attribut avec le verbe *être* au futur

Il est à l'instrumental pour le nom et pour l'adjectif.

➡ Его́ сын бу́дет врачо́м.

➡ Она́ бу́дет си́льной.

### 5. La concordance des temps dans les subordonnées complétives.

Observez ces deux phrases :
Макси́м говори́т, что бу́дет ждать Анну за́втра у метро́.
Да́ша сказа́ла, что бу́дет ждать Анну на вокза́ле.

Dans les exemples ci-dessus, les verbes de la subordonnée complétive expriment la postériorité par rapport au verbe de la proposition principale. En russe, contrairement au français, on emploie le futur quel que soit le temps du verbe de la principale.

Dans la subordonnée complétive, on emploie :
– le passé pour exprimer l'antériorité ;

➡ Он по́нял / он понима́ет / он поймёт, что они́ сде́лали.

– le présent pour exprimer la concomitance ;

➡ Он по́нял / он понима́ет / он поймёт, что они́ де́лают.

– le futur pour exprimer la postériorité.

➡ Он по́нял / он понима́ет / он поймёт, что они́ сде́лают.

### 6. La construction des verbes de perception

En français, les verbes de perception sont souvent suivis d'un infinitif.

➡ Je vois les enfants jouer dans la cour.

En russe, cette construction est impossible. Le verbe de perception est suivi d'une subordonnée introduite par как.

➡ Я ви́жу, как де́ти игра́ют во дворе́.

➡ Анна ви́дела, как Макси́м выхо́дит из метро́.

# Уро́к 8

### 1. Le superlatif

• Il se forme à l'aide du pronom са́мый accordé en genre, en nombre et en cas avec l'adjectif. Са́мый se décline comme un adjectif.

➡ Это са́мый перспекти́вный росси́йский диза́йнер.

• Le complément du superlatif :

➡ Новосиби́рск – са́мый большо́й го́род Сиби́ри
                                 в Сиби́ри
                         из городо́в Сиби́ри.

## 2. Le comparatif de supériorité suffixal

Une des manières de former le comparatif d'un adjectif attribut et d'un adverbe est d'adjoindre un suffixe à son radical. La forme obtenue est indéclinable.

Tous les adjectifs ne possèdent pas la forme de comparatif avec suffixe (par exemple les adjectifs terminés par le suffixe -ский).

• Les différents suffixes :

– le suffixe -ee (le plus souvent accentué sur le premier e) permet de former le comparatif suffixal régulier ;

вку́сный → вкусне́е, холо́дный → холодне́е, тёмный → темне́е.

*NB :* краси́вый → краси́вее, интере́сный → интере́снее.

– le suffixe -e est utilisé pour un certain nombre d'adjectifs. Il entraîne une palatalisation de certaines consonnes.  *Voir le mémento grammatical, p. 148.*

молодо́й → моло́же
дорого́й / до́рого → доро́же
ти́хий / ти́хо → ти́ше
дешёвый / дёшево → деше́вле
бога́тый / бога́то → бога́че
ча́сто → ча́ще
жа́ркий / жа́рко → жа́рче

On observe parfois la disparition d'une ou plusieurs consonnes.

ни́зкий / ни́зко → ни́же
по́здно → по́зже
высо́кий / высоко́ → вы́ше

– le suffixe -ше est utilisé pour quelques adjectifs et adverbes.

ста́рый → ста́рше
ма́ленький / ма́ло → ме́ньше
далеко́ → да́льше
большо́й / мно́го → бо́льше

• Le complément du comparatif :

– чем + complément au cas voulu ;

▸▸ Зимо́й в Москве́ холодне́е, чем в Пари́же.   ▸▸ Он ста́рше, чем его́ сестра́.

– dans le cas où чем est suivi du nominatif, il est possible de remplacer l'ensemble par un génitif seul.

▸▸ Он ста́рше свое́й сестры́.

*NB :* le préfixe по- ajouté au comparatif atténue son sens.

▸▸ Эти брю́ки потемне́е : ce pantalon est un peu plus foncé.

# Уро́к 9

## 1. Les comparatifs de supériorité et d'infériorité composés

Le comparatif de supériorité se forme avec l'adverbe бо́лее et le comparatif d'infériorité avec l'adverbe ме́нее suivis de l'adverbe ou de l'adjectif aux cas, genre et nombre voulus.

▸▸ Нет в Росси́и бо́лее изве́стного поэ́та, чем Пу́шкин.

▸▸ Тру́дно найти́ ме́нее симпати́чного челове́ка.

• Le comparatif composé est possible pour tous les adjectifs, sauf pour : хоро́ший, плохо́й, большо́й, ма́ленький.

• Il est obligatoire pour les adjectifs ne possédant pas de comparatif suffixal.

▶ Мне ка́жется, что, как поэ́т, Есе́нин бо́лее ру́сский, чем Блок.

• Lorsque l'adjectif est un attribut, il vaut mieux employer le comparatif de supériorité avec suffixe, sauf si l'adjectif est long et complexe.

▶ Её ю́бка у́же, чем твоя́.    ▶ Она́ бо́лее разгово́рчивая, чем он.

## 2. Le comparatif d'égalité

Тако́й + же + adjectif à la forme longue.
Так + же + adjectif à la forme courte ou adverbe.

▶ Влади́мир Сологу́б был тако́й же популя́рный, как Алекса́ндр Пу́шкин.

▶ Влади́мир Сологу́б был так же популя́рен, как Алекса́ндр Пу́шкин.

▶ Они́ живу́т так же бе́дно, как ра́ньше.

## 3. Les constructions des verbes de souhait et d'ordre

• Le complément est un infinitif lorsque l'action projetée doit être faite par le sujet du verbe.

▶ Анна хоте́ла подари́ть сувени́р из Фра́нции Владисла́ву Константи́новичу.

• Le complément est une proposition subordonnée introduite par чтобы, et dont le verbe est toujours au passé, lorsque l'action projetée doit être faite par une autre personne que le sujet du verbe (хоте́ть ou un autre verbe) ou qu'elle est exprimée par un adverbe prédicatif indiquant le souhait ou l'ordre.

▶ Владисла́в Константи́нович хо́чет, что́бы молодёжь приходи́ла в Отра́дное.

▶ Врач сказа́л, что́бы больно́й вы́пил аспири́н.

▶ На́до, что́бы он сам пошёл в магази́н.

## 4. Les verbes de 3e classe

Ce sont les seuls dont on peut déterminer la conjugaison grâce à l'infinitif, qui est en -нуть (suffixe -н- + suffixe -у- + terminaison -ть). La voyelle de liaison est /e/.

|         | верну́ть  |
|---------|-----------|
| я       | верну́    |
| ты      | вернёшь   |
| он/она́ | вернёт    |
| мы      | вернём    |
| вы      | вернёте   |
| они́    | верну́т   |

# Уро́к 10

## 1. La déclinaison des neutres en -мя

|   | singulier | pluriel    |
|---|-----------|------------|
| N | вре́мя    | времена́   |
| A | вре́мя    | времена́   |
| G | вре́мени  | времён     |
| D | вре́мени  | времена́м  |
| I | вре́менем | времена́ми |
| L | вре́мени  | времена́х  |

## 2. Le pronom сам

Il se décline comme один.        *Voir le mémento grammatical, p. 147.*
Il signifie « même », « lui-même », « en personne », « tout seul ».

▸▸ Большевики хотели изменить не только политическую и экономическую систему, но и самого человека.
  Les Bolcheviks voulaient transformer non seulement le système économique et politique, mais l'homme lui-même.

▸▸ Ребёнок сам построил этот домик.
  L'enfant a construit cette petite maison tout seul.

## 3. L'expression de la condition

| Potentiel | Subordonnée | Principale |
|---|---|---|
| conditionnel futur | Если + futur | futur |
|  | ▸▸ Если он меня увидит, | что я ему скажу? |
| conditionnel présent | Если + présent | présent |
|  | ▸▸ Если ты хочешь, | ты можешь пойти в кино. |

**Irréel**

| irréel du présent | Если бы + passé | бы + passé |
|---|---|---|

▸▸ Если бы она жила в России, она лучше бы знала русские традиции.
  Si elle habitait en Russie, elle connaîtrait mieux les traditions russes.
  (Si elle habitait en Russie en ce moment, mais ce n'est pas le cas.)

| irréel du passé | Если бы + passé | бы + passé |
|---|---|---|

▸▸ Если бы вы мне написали раньше, я бы узнал, где портрет.
  Si vous m'aviez écrit plus tôt, j'aurais su où était le portrait.
  (Cela n'a pas été réalisé dans le passé.)

• Place de la particule бы
– Dans la subordonnée, la particule suit immédiatement la conjonction если.
– Dans la principale, elle se place en général après le sujet (si c'est un pronom personnel) ou après le verbe.

*NB :* если peut être l'équivalent de когда.

▸▸ Если у него есть время, он гуляет по Парижу.
  S'il a du temps, il se promène dans Paris.

▸▸ Если у него было время, он гулял по Парижу.
  S'il avait du temps, il se promenait dans Paris.

## 4. La particule бы et l'expression atténuée

▸▸ Я хотел бы с вами поговорить.
  Je voudrais parler avec vous.

▸▸ Я бы сказал, что ей лет пятьдесят.
  Je dirais qu'elle a cinquante ans.

# Урок 11

## 1. L'attribut du complément d'objet

Il se met à l'instrumental. ▸▸ Иван Грозный сделал Казань русским городом.

## 2. L'expression du but

La question est introduite par зачем, la réponse par чтобы.

• Si les sujets sont les mêmes dans les deux propositions, le verbe de la subordonnée est à l'infinitif.

▸▸ Они́ прие́хали в Каза́нь, что́бы **пойти́** на откры́тие культу́рного це́нтра.

• Si les sujets sont différents, le verbe de la subordonnée est au passé.

▸▸ Он **нарисова́л** её портре́т, что́бы она́ **поняла́**, что он её лю́бит.

### 3. La proposition subordonnée de conséquence

Elle est introduite par la conjonction de subordination что, en relation avec l'adjectif тако́й ou l'adverbe так dans la principale.

▸▸ Он **тако́й** симпати́чный, **что** она́ хо́чет с ним дружи́ть.

▸▸ Он **так** го́лоден, **что** покупа́ет три бутербро́да.

▸▸ Он **так** хорошо́ говори́т по-неме́цки, **что** все ду́мают, что у него́ неме́цкие ко́рни.

Notez l'utilisation de l'adjectif тако́й ou de l'adverbe так en fonction de la nature du mot qu'il précise.

### 4. La proposition subordonnée de concession

Elle est introduite par la conjonction de subordination хотя́.

▸▸ Хотя́ пельме́ни бы́ли вку́сные, Анна не е́ла.

# Уро́к 12

### 1. La déclinaison des numéraux cardinaux

• Déclinaison de оди́н

|   | singulier | | | pluriel |
|---|---|---|---|---|
|   | masculin | neutre | féminin | |
| N | оди́н | одно́ | одна́ | одни́ |
| A | ↖↘ | одно́ | одну́ | ↑↓ |
| G | одного́ | одно́й | одни́х |
| D | одному́ | одно́й | одни́м |
| I | одни́м | одно́й | одни́ми |
| L | одно́м | одно́й | одни́х |

• Déclinaison de два / две, три, четы́ре

| N | два / две | три | четы́ре |
|---|---|---|---|
| A | ↑↓ | ↑↓ | ↑↓ |
| G | двух | трёх | четырёх |
| D | двум | трём | четырём |
| I | двумя́ | тремя́ | четырьмя́ |
| L | двух | трёх | четырёх |

• Déclinaison de пять, шесть …

Les nombres terminés en signe mou se déclinent comme les féminins de 3ᵉ déclinaison.

▸▸ N пять, A пять, G пяти́, D пяти́, I пятью́, L пяти́

*NB :* Dans 50, 60, 70 et 80, les deux éléments se déclinent.

▸▸ бо́лее шести́десяти проце́нтов

## 2. L'expression de l'ordre et du souhait

• L'impératif simple :
L'impératif n'a que deux formes, la 2ᵉ personne du singulier et la 2ᵉ personne du pluriel. L'impératif existe aux deux aspects et se forme sur la base du présent-futur.

– Base terminée par un yod : l'impératif singulier est sans désinence.

| 3ᵉ pers. pl. présent | impératif sing. |
|---|---|
| /znaj-ut/ | /znaj/ |
| зна́ют | знай |
| /stoj-at/ | /stoj/ |
| стоя́т | стой |

– Base terminée par une autre consonne : la désinence dépend de la place de l'accent à la 1ʳᵉ personne du singulier.

Si la terminaison est accentuée /i/ avec mouillure de la consonne finale.

| /sob'er-ut/ | /sob'er+'i/ |
|---|---|
| собору́т (соберу́) | собери́ |

Si la terminaison n'est pas accentuée /Ø/.

| /ostav'-at/ | /ostav'/ |
|---|---|
| оста́вят (оста́влю) | оста́вь |
| /bud-ut/ | /bud+'/ avec mouillure de la consonne finale. |
| бу́дут (бу́ду) | будь |

*NB :* si la terminaison n'est pas accentuée,
mais que le radical a deux consonnes ou plus /i/.

| запо́мнят (запо́мню) | запо́мни |
|---|---|

– Pour obtenir la 2ᵉ personne du pluriel, on ajoute -те à la forme du singulier.

| чита́й | чита́йте |
|---|---|
| оста́вь | оста́вьте |

– Impératifs irréguliers.

| встава́ть | → | встава́й, встава́йте |
|---|---|---|
| дава́ть | → | дава́й, дава́йте |
| узнава́ть | → | узнава́й, узнава́йте |
| остава́ться | → | остава́йся, остава́йтесь |
| дать | → | дай, да́йте |
| есть | → | ешь, е́шьте |
| е́хать / пое́хать | → | поезжа́й, поезжа́йте |
| лечь | → | ляг, ля́гте |
| пить | → | пей, пе́йте |

*NB :* les verbes мочь et хоте́ть n'ont pas de formes d'impératif.

• L'impératif de 1ʳᵉ personne du pluriel
Il est formé de :

дава́й / дава́йте
(si l'on s'adresse à une personne)  (si l'on s'adresse à plusieurs personnes)

+ 1ʳᵉ personne du pluriel du futur perfectif

▸ Дава́й (дава́йте) посмо́трим фильм !

ou + infinitif imperfectif

▸ Дава́й (дава́йте) смотре́ть фильм !

## 3. La formation des couples verbaux

La plupart des verbes simples sont d'aspect imperfectif.

▸▸ писа́ть (Ipf.), по́мнить (Ipf.)

Il existe un certain nombre d'exceptions.

▸▸ купи́ть (Pf.), сказа́ть (Pf.)

• **Observation 1 :**

писа́ть (Ipf.)      **на**писа́ть (Pf.)
чита́ть (Ipf.)      **про**чита́ть (Pf.)
мочь (Ipf.)        **с**мочь (Pf.)

Les préverbes ont rendu les verbes perfectifs.

• **Observation 2 :**

ду́мать (Ipf.)      **пере**ду́мать          (Pf.)
                   **пере**ду́м**ыва**ть     (Ipf.)

penser             changer d'avis

по́мнить (Ipf.)   за**по́мнить**       (Pf.)        вс**по́мнить**        (Pf.)
                 за**помина́ть**      (Ipf.)       вс**помина́ть**       (Ipf.)

se souvenir       retenir                         retrouver dans sa mémoire

Dans chacun des cas :
– un préverbe a rendu le verbe perfectif et en a changé le sens ;
– un suffixe a permis de recomposer un verbe imperfectif correspondant au verbe perfectif ;
– on a obtenu un couple verbal.

Il existe plusieurs suffixes d'imperfectivation.

| | | | | |
|---|---|---|---|---|
| **-ыва- / -ива-** | рассказа́ть | (Pf.) | расска́з-**ыва**-ть | (Ipf.) |
| **-ива-** | рассмотре́ть | (Pf.) | рассма́тр-**ива**-ть | (Ipf.) |
| **-я- / -а-** | повтори́ть | (Pf.) | повтор-**я**-ть | (Ipf.) |
| | заме́тить | (Pf.) | замеч-**а**-ть | (Ipf.) |
| **-а-** | помо́чь | (Pf.) | помог-**а**-ть | (Ipf.) |
| **-ва-** | встать | (Pf.) | вста-**ва**-ть | (Ipf.) |

*NB :* il y a parfois une modification du radical.

▸▸ собра́ть / собира́ть

À partir de verbes simples, on peut former des verbes de sens différent à la fois par adjonction d'un préverbe et de l'affixe -ся.

▸▸ говори́ть (Ipf.)  **до**говори́ть**ся**    (Pf.)
                    **до**гова́ривать**ся** (Ipf.)

   parler           se mettre d'accord

# Урок 13

## 1. Les pronoms, adverbes et adjectifs indéfinis

On les forme en ajoutant aux pronoms кто et что, aux adverbes когда́, где, куда́, почему́, как, à l'adjectif како́й, les particules -то et -нибудь.
On les emploie quand on ne connaît pas le désigné ou qu'on ne veut pas le nommer.
Ils signifient : « quelqu'un », « quelque chose », « quelque part »…
Кто et что se déclinent.

- On emploie la particule -то quand ce qu'on désigne est réel.

▸ Я что́-то нашла́.

  J'ai trouvé quelque chose (cette chose existe).

- On emploie la particule -нибудь quand ce qu'on désigne est virtuel.

▸ Вы что́-нибудь нашли́?

  Avez-vous trouvé quelque chose ? (cette chose n'existe peut-être pas).

Ainsi, on trouve généralement la particule -то dans les phrases affirmatives au présent ou au passé et la particule -нибудь dans les phrases interrogatives, les phrases au futur ou comportant un impératif.

▸ Кто́-то приходи́л к тебе́.         Если кто́-нибудь придёт, скажи́, что я ско́ро верну́сь.
  Он куда́-то ушёл.                   Ле́том мы куда́-нибудь пое́дем.
  Когда́-то он был о́чень изве́стный.   Я зайду́ к тебе́ когда́-нибудь.
     (on traduit ici : autrefois)           (un jour)

Il y a parfois une idée de choix (-нибудь) ou d'absence de choix (-то).

▸ Мне на́до куда́-то позвони́ть.      Мне на́до пое́хать куда́-нибудь отдохну́ть.
   (à un endroit précis)          (n'importe où)

## 2. Le renforcement du comparatif

Le comparatif suffixal peut être renforcé par l'adverbe гора́здо.

▸ Он гора́здо вы́ше бра́та.

## 3. L'expression du temps

- Les compléments circonstantiels (groupes nominaux)

| | accusatif | génitif | locatif |
|---|---|---|---|
| sans préposition | *Ско́лько вре́мени?* <br> *Как до́лго?* <br> • всю неде́лю <br> *Как ча́сто?* <br> • ка́ждую суббо́ту | *Когда́? Како́го числа́?* <br> • девя́того ма́рта <br> • второ́го ма́рта 2006 го́да | |
| avec préposition | *Когда́? В какой день?* <br> • в сре́ду <br> *Когда́?* <br> • неде́лю наза́д <br> *Че́рез ско́лько вре́мени?* <br> • че́рез неде́лю <br> *На ско́лько вре́мени?* <br> • на неде́лю | *Когда́?* <br> • до войны́ <br> • пе́ред войно́й <br> • во вре́мя револю́ции <br> • по́сле уро́ка | *Когда́?* <br> *На какой неде́ле?* <br> • на э́той неде́ле <br> *В како́м ме́сяце?* <br> • в ма́рте <br> *В како́м году́?* <br> • в про́шлом году́ <br> *В како́м ве́ке?* <br> • в 19 ве́ке |

- Les adverbes

Ils sont nombreux : сейча́с, вчера́, давно́, когда́-то, сра́зу, до́лго, ча́сто... Ils correspondent aux questions présentées dans le tableau ci-dessus.

- Les propositions subordonnées circonstancielles de temps

Elles peuvent être introduites par пока́ (pendant que), как то́лько (dès que)...

▸ Пока́ Анна ждала́ у метро́, зазвони́л её телефо́н.

▸ Как то́лько они́ познако́мились, они́ ста́ли дружи́ть.

# Урок 14

## 1. La déclinaison des noms de famille

Les noms de famille terminés comme des adjectifs se déclinent comme des adjectifs.
Les noms terminés en -ин, -ов/-ев/-ёв ont une déclinaison particulière.

|   | singulier | | pluriel |
|---|---|---|---|
|   | masculin | féminin |   |
| N | Воло́дин | Воло́дина | Воло́дины |
| A | Воло́дина | Воло́дину | Воло́диных |
| G | Воло́дина | Воло́диной | Воло́диных |
| D | Воло́дину | Воло́диной | Воло́диным |
| I | Воло́диным | Воло́диной | Воло́диными |
| L | Воло́дине | Воло́диной | Воло́диных |

## 2. Les noms мать et дочь

Ils appartiennent à la 3e déclinaison. Ils sont irréguliers.

|   | singulier | | pluriel | |
|---|---|---|---|---|
| N | мать | дочь | ма́тери | до́чери |
| A | мать | дочь | матере́й | дочере́й |
| G | ма́тери | до́чери | матере́й | дочере́й |
| D | ма́тери | до́чери | матеря́м | дочеря́м |
| I | ма́терью | до́черью | матеря́ми | дочерьми́ |
| L | ма́тери | до́чери | матеря́х | дочеря́х |

## 3. Les pronoms et adverbes négatifs

• Les pronoms никто́ et ничто́ :
– Ils signifient « personne » et « rien ». Ils se déclinent de la même manière que les pronoms кто et что.

▸ Анна никому́ не дала́ свой а́дрес.

▸ Она́ ничего́ не по́мнит.

– Quand ils sont régis par une préposition, celle-ci vient s'intercaler entre la négation ни et la forme du pronom.

▸ Они́ ни о чём не говори́ли.

▸ Он ни с кем не встре́тился.

*NB* : la forme ничто́ ne s'emploie qu'en position sujet. En fonction de COD, on emploie la forme ничего́.

• Les adverbes нигде́, никуда́, ниотку́да, никогда́… :
– Ils signifient : nulle part, jamais…
– Ils se forment avec des adverbes de lieu, de temps, de quantité auxquels on prépose l'élément négatif ни-.

Attention : l'emploi de la négation не reste obligatoire dans les propositions comportant un pronom ou un adverbe négatif.

▸ Она́ никогда́ не была́ во Фра́нции.

# mémento grammatical

## 1. Particularités orthographiques

| Après | | Jamais | Toujours |
|---|---|---|---|
| К, Г, Х      Ж, Ч, Ш, Щ | | Ы | И |
| К, Г, Х      Ж, Ч, Ш, Щ           Ц | | Я | А |
| | | Ю | У |
| Dans les désinences,<br>si la syllabe n'est pas accentuée,<br>        Ж, Ч, Ш, Щ           Ц | | О | Е |

## 2. Les cas

| Cas | Emplois sans préposition | | Emplois avec préposition |
|---|---|---|---|
| **Nominatif** | Sujet | **Ба́бушка** гуля́ет. | |
| | Attribut du sujet | Па́па – **шофёр**. | |
| **Accusatif** | COD | Я чита́ю **кни́гу**. | в, на, че́рез |
| | Complément de temps :<br>– Répétition<br>– Durée | **Ка́ждую неде́лю** он хо́дит в кино́.<br>Она́ там рабо́тала **неде́лю**. | |
| **Génitif** | Complément du nom | Это портфе́ль **ма́льчика**. | у, из, с, о́коло, по́сле, от, до, без, ми́мо, напро́тив, во вре́мя |
| | Expression de l'absence | В дере́вне нет **музе́я**. | |
| | Expression de la quantité. | Две **газе́ты**. Пять **газе́т** | |
| **Datif** | Complément d'attribution<br>– Équivalent du COI<br>– Équivalent du COS | Я даю́ календа́рь **сестре́**.<br>Он **мне** звони́т.<br>Мы говори́м **ему́** пра́вду. | к, по |
| | Proposition impersonnelle :<br>personne concernée | **Ли́де** хо́лодно. **Бра́ту** 8 лет. | |
| **Instrumental** | Complément de moyen<br>Attribut | Ма́льчик пи́шет **флома́стером**.<br>Он хо́чет быть **врачо́м**.<br>Она́ бу́дет **инжене́ром**.<br>Он ка́жется **серьёзным**. | с, пе́ред, за, над, под, ме́жду, ря́дом с |
| **Locatif** | | | в, на, о(об), при |

**143**

### 3. Les déclinaisons des noms

a. Les tableaux des déclinaisons

| | | 1ʳᵉ déclinaison | | 2ᵉ déclinaison | | | |
|---|---|---|---|---|---|---|---|
| | | | | masculin | | neutre | |
| | | base dure | base molle | base dure | base molle | base dure | base molle |
| **singulier** | N | газе́та | неде́ля | журна́л | портфе́ль | сло́во | мо́ре |
| | A | газе́ту | неде́лю | журна́л | портфе́ль | сло́во | мо́ре |
| | G | газе́ты | неде́ли | журна́ла | портфе́ля | сло́ва | мо́ря |
| | D | газе́те | неде́ле | журна́лу | портфе́лю | сло́ву | мо́рю |
| | I | газе́той | неде́лей | журна́лом | портфе́лем | сло́вом | мо́рем |
| | L | газе́те | неде́ле | журна́ле | портфе́ле | сло́ве | мо́ре |
| **pluriel** | N | газе́ты | неде́ли | журна́лы | портфе́ли | слова́ | моря́ |
| | A | газе́ты | неде́ли | журна́лы | портфе́ли | слова́ | моря́ |
| | G | газе́т | неде́ль | журна́лов | портфе́лей | слов | море́й |
| | D | газе́там | неде́лям | журна́лам | портфе́лям | слова́м | моря́м |
| | I | газе́тами | неде́лями | журна́лами | портфе́лями | слова́ми | моря́ми |
| | L | газе́тах | неде́лях | журна́лах | портфе́лях | слова́х | моря́х |

| | | 3ᵉ déclinaison |
|---|---|---|
| **singulier** | N | тетра́дь |
| | A | тетра́дь |
| | G | тетра́ди |
| | D | тетра́ди |
| | I | тетра́дью |
| | L | тетра́ди |
| **pluriel** | N | тетра́ди |
| | A | тетра́ди |
| | G | тетра́дей |
| | D | тетра́дям |
| | I | тетра́дями |
| | L | тетра́дях |

| | | Neutres en -мя |
|---|---|---|
| **singulier** | N | вре́мя |
| | A | вре́мя |
| | G | вре́мени |
| | D | вре́мени |
| | I | вре́менем |
| | L | вре́мени |
| **pluriel** | N | времена́ |
| | A | времена́ |
| | G | времён |
| | D | времена́м |
| | I | времена́ми |
| | L | времена́х |

| | | Noms à base en –й | | |
|---|---|---|---|---|
| | | féminin | masculin | neutre |
| **singulier** | N | ста́нция | коммента́рий | зда́ние |
| | A | ста́нцию | коммента́рий | зда́ние |
| | G | ста́нции | коммента́рия | зда́ния |
| | D | ста́нции | коммента́рию | зда́нию |
| | I | ста́нцией | коммента́рием | зда́нием |
| | L | ста́нции | коммента́рии | зда́нии |
| **pluriel** | N | ста́нции | коммента́рии | зда́ния |
| | A | ста́нции | коммента́рии | зда́ний |
| | G | ста́нций | коммента́рий | зда́ний |
| | D | ста́нциям | коммента́риям | зда́ниям |
| | I | ста́нциями | коммента́риями | зда́ниями |
| | L | ста́нциях | коммента́риях | зда́ниях |

Remarque:
– l'accusatif singulier des noms masculins de 2ᵉ déclinaison désignant des animés (personnes et animaux) est semblable au génitif. ▸▸ Я зна́ю инжене́ра.
– L'accusatif pluriel des noms des 1ʳᵉ et 2ᵉ déclinaisons désignant des animés est semblable au génitif.
▸▸ Она́ спра́шивает учени́ц.  Он фотографи́рует дете́й.

## b. Déclinaisons des noms de famille

|   | singulier | | pluriel |
|---|---|---|---|
|   | masculin | féminin | |
| N | Воло́дин | Воло́дина | Воло́дины |
| A | Воло́дина | Воло́дину | Воло́диных |
| G | Воло́дина | Воло́диной | Воло́диных |
| D | Воло́дину | Воло́диной | Воло́диным |
| I | Воло́диным | Воло́диной | Воло́диными |
| L | Воло́дине | Воло́диной | Воло́диных |

## c. Pour mémoriser les déclinaisons au pluriel…

| 1ʳᵉ déclinaison | 2ᵉ déclinaison |
|---|---|
| Это но́вые учени́цы. | Это но́вые студе́нты. |
| Учи́тель ждёт но́вых учени́ц. | Профе́ссор ждёт но́вых студе́нтов. |
| Это рабо́ты но́вых учени́ц. | Это рабо́ты но́вых студе́нтов. |
| Он звони́т но́вым учени́цам. | Он звони́т но́вым студе́нтам. |
| Он разгова́ривает с но́выми учени́цами. | Он разгова́ривает с но́выми студе́нтами. |
| Он говори́т о но́вых учени́цах. | Он говори́т о но́вых студе́нтах. |

## d. Les noms irréguliers

### 1. Noms de la 2ᵉ déclinaison

#### a) Nominatif pluriel en /a/
Certains noms masculins ont un nominatif pluriel en /a/ (-а, -я) toujours accentué:
дом / дома́, го́род / города́, бе́рег / берега́, лес / леса́, о́стров / острова́, ве́чер / вечера́, а́дрес / адреса́, па́спорт / паспорта́, по́езд / поезда́, учи́тель / учителя́.

*NB:* l'accent reste final à tous les autres cas.

#### b) Nominatif pluriel en /j/ + /a/
Ils concernent quelques masculins et neutres. Ils se répartissent en deux catégories:
   • -ья, -ев
брат ➞ бра́тья, бра́тьев, бра́тьям, бра́тьями, бра́тьях
стул ➞ сту́лья, сту́льев, сту́льям, сту́льями, сту́льях

   • -ья, -ей
друг ➞ друзья́, друзе́й, друзья́м, друзья́ми, друзья́х
сын ➞ сыновья́, сынове́й, сыновья́м, сыновья́ми, сыновья́х
муж ➞ мужья́, муже́й, мужья́м, мужья́ми, мужья́х

*NB:* L'accent est final dans toute la déclinaison.

#### c) Génitif pluriel en désinence zéro
Il concerne des noms masculins: раз, челове́к, глаз, во́лос (G воло́с).

*NB:* le génitif pluriel челове́к est utilisé après: ско́лько, не́сколько et un numéral (les numéraux à partir de 5). Dans les autres cas on emploie la forme люде́й.

### d) Génitif pluriel des noms masculins en chuintante

Il est en /ej/ (-ей).

врач → врачéй

карандáш → карандашéй

### e) Les noms дéти et лю́ди

Дéти est utilisé comme pluriel de ребёнок. Лю́ди est le pluriel de человéк. Leur instrumental est irrégulier.

дéти → детьми́

лю́ди → людьми́

### f) Noms isolés

Le nom сосéд est en base dure au singulier et en base molle au pluriel : сосéди.

## 2. Les noms мать et дочь

Ils appartiennent à la 3e déclinaison. Ils sont irréguliers.

|   | singulier | | pluriel | |
|---|---|---|---|---|
| N | мать | дочь | мáтери | дóчери |
| A | мать | дочь | матерéй | дочерéй |
| G | мáтери | дóчери | матерéй | дочерéй |
| D | мáтери | дóчери | матеря́м | дочеря́м |
| I | мáтерью | дóчерью | матеря́ми | дочерьми́ |
| L | мáтери | дóчери | матеря́х | дочеря́х |

## 4. Les déclinaisons des pronoms et des pronoms adjectifs

### a. Pronoms personnels

| N | я | ты | он, онó | онá | мы | вы | они́ |
|---|---|---|---|---|---|---|---|
| A | меня́ | тебя́ | егó | её | нас | вас | их |
| G | меня́ | тебя́ | егó | её | нас | вас | их |
| D | мне | тебé | емý | ей | нам | вам | им |
| I | мной | тобóй | им | ей | нáми | вáми | и́ми |
| L | (обо) мне | (о) тебé | (о) нём | (о) ней | (о) нас | (о) вас | (о) них |

### b. Pronoms interrogatifs

| N | кто | что |
|---|---|---|
| A | когó | что |
| G | когó | чегó |
| D | комý | чемý |
| I | кем | чем |
| L | (о) ком | (о) чём |

### c. Le pronom réfléchi себя́

| A | себя́ |
|---|---|
| G | себя́ |
| D | себé |
| I | собóй |
| L | себé |

## d. Le pronom réciproque друг дру́га

| | |
|---|---|
| A | друг дру́га |
| G | друг дру́га |
| D | друг дру́гу |
| I | друг дру́гом |
| L | друг (о, в, на) дру́ге |

## e. Pronoms-adjectifs possessifs

| | masculin | neutre | féminin | pluriel |
|---|---|---|---|---|
| N | мой | моё | моя́ | мои́ |
| A | ↖↘ | моё | мою́ | ↑↓ |
| G | моего́ | | мое́й | мои́х |
| D | моему́ | | мое́й | мои́м |
| I | мои́м | | мое́й | мои́ми |
| L | моём | | мое́й | мои́х |
| N | наш | на́ше | на́ша | на́ши |
| A | ↖↘ | на́ше | на́шу | ↑↓ |
| G | на́шего | | на́шей | на́ших |
| D | на́шему | | на́шей | на́шим |
| I | на́шим | | на́шей | на́шими |
| L | на́шем | | на́шей | на́ших |

## f. Le pronom-adjectif démonstratif э́тот

| | masculin | neutre | féminin | pluriel |
|---|---|---|---|---|
| N | э́тот | э́то | э́та | э́ти |
| A | ↖↘ | э́то | э́ту | ↑↓ |
| G | э́того | | э́той | э́тих |
| D | э́тому | | э́той | э́тим |
| I | э́тим | | э́той | э́тими |
| L | э́том | | э́той | э́тих |

## g. Les pronoms-adjectifs весь et оди́н

| | masculin | neutre | féminin | pluriel |
|---|---|---|---|---|
| N | весь | всё | вся | все |
| A | ↖↘ | всё | всю | ↑↓ |
| G | всего́ | | всей | всех |
| D | всему́ | | всей | всем |
| I | всем | | всей | все́ми |
| L | всём | | всей | всех |
| N | оди́н | одно́ | одна́ | одни́ |
| A | ↖↘ | одно́ | одну́ | ↑↓ |
| G | одного́ | | одно́й | одни́х |
| D | одному́ | | одно́й | одни́м |
| I | одни́м | | одно́й | одни́ми |
| L | одно́м | | одно́й | одни́х |

## 5. Les adjectifs

### a. Déclinaisons

| | | masculin | | neutre | | féminin | |
|---|---|---|---|---|---|---|---|
| | | base dure | base molle | base dure | base molle | base dure | base molle |
| *singulier* | N | но́вый | после́дний | но́вое | после́днее | но́вая | после́дняя |
| | A | ↑↓ | ↑↓ | но́вое | после́днее | но́вую | после́днюю |
| | G | но́вого | после́днего | но́вого | после́днего | но́вой | после́дней |
| | D | но́вому | после́днему | но́вому | после́днему | но́вой | после́дней |
| | I | но́вым | после́дним | но́вым | после́дним | но́вой | после́дней |
| | L | но́вом | после́днем | но́вом | после́днем | но́вой | после́дней |

| | | | |
|---|---|---|---|
| *pluriel* | N | но́вые | после́дние |
| | A | ↑↓ | ↑↓ |
| | G | но́вых | после́дних |
| | D | но́вым | после́дним |
| | I | но́выми | после́дними |
| | L | но́вых | после́дних |

### b. Les comparatifs en -e et -ше des adjectifs et des adverbes

| adjectif | adverbe | comparatif | adjectif | adverbe | comparatif |
|---|---|---|---|---|---|
| бли́зкий | бли́зко | бли́же | молодо́й | | моло́же |
| бога́тый | бога́то | бога́че | ни́зкий | ни́зко | ни́же |
| большо́й | мно́го | бо́льше | плохо́й | пло́хо | ху́же |
| высо́кий | высоко́ | вы́ше | по́здний | по́здно | по́зже |
| глубо́кий | глубоко́ | глу́бже | просто́й | про́сто | про́ще |
| далёкий | далеко́ | да́льше | | ра́но | ра́ньше |
| дешёвый | дёшево | деше́вле | ста́рый | | ста́рше |
| до́лгий | до́лго | до́льше | то́нкий | то́нко | то́ньше |
| дорого́й | до́рого | доро́же | хоро́ший | хорошо́ | лу́чше |
| жа́ркий | жа́рко | жа́рче | ча́стый | ча́сто | ча́ще |
| коро́ткий | ко́ротко | коро́че | чи́стый | чи́сто | чи́ще |
| ма́ленький | ма́ло | ме́ньше | широ́кий | широко́ | ши́ре |

## 6. Les verbes

### a. 1ʳᵉ classe

Voyelle de liaison /i/

| | Sans alternance | Avec alternance | |
|---|---|---|---|
| | **говори́ть** | **сиде́ть** | **гото́вить** |
| я | говорю́ | сижу́ | гото́влю |
| ты | говори́шь | сиди́шь | гото́вишь |
| он | говори́т | сиди́т | гото́вит |
| мы | говори́м | сиди́м | гото́вим |
| вы | говори́те | сиди́те | гото́вите |
| они́ | говоря́т | сидя́т | гото́вят |

## b. 2ᵉ classe

Voyelle de liaison **/e/**

|  | Sans alternance | Avec alternance |
|---|---|---|
|  | **чита́ть** | **рисова́ть** |
| я | чита́ю | рису́ю |
| ты | чита́ешь | рису́ешь |
| он | чита́ет | рису́ет |
| мы | чита́ем | рису́ем |
| вы | чита́ете | рису́ете |
| они́ | чита́ют | рису́ют |

## c. 3ᵉ classe

Voyelle de liaison **/e/**

|  | **верну́ть** |
|---|---|
| я | верну́ |
| ты | вернёшь |
| он | вернёт |
| мы | вернём |
| вы | вернёте |
| они́ | верну́т |

## d. Verbes de déplacement préverbés : les préverbes

| Préverbes | Prépositions |
|---|---|
| В- (во)<br>Entrer<br>входи́ть / войти́<br>въезжа́ть / въе́хать<br>вбега́ть / вбежа́ть<br>вплыва́ть / вплыть | в + A<br>Он вошёл в шко́лу.<br>на + A<br>Они́ въе́хали на заво́д.<br>к + D<br>Он вбежа́л к ма́ме. |
| ВЫ-<br>Sortir<br>выходи́ть / вы́йти<br>вылета́ть / вы́лететь | из + G<br>Пти́ца вы́летела из ко́мнаты.<br>с + G<br>Он вы́шел с конце́рта.<br>от + G<br>Она́ вы́шла от врача́. |
| ПРИ-<br>Arriver<br>приходи́ть / прийти́<br>приводи́ть / привести́<br>приезжа́ть / прие́хать | в + A<br>Мать привела́ до́чку в шко́лу.<br>на + A<br>Они́ пришли́ на дискоте́ку.<br>к + D<br>К тебе́ пришёл това́рищ.<br>из + G<br>Мы прие́хали из Ки́ева вчера́.<br>с + G<br>Он пришёл с уро́ка. |
| У-<br>Partir<br>уходи́ть / уйти́ | из + G<br>Она́ унесла́ кни́гу из библиоте́ки.<br>с + G<br>Де́ти ушли́ со стадио́на. |

| Préverbes | Prépositions |
|---|---|
| уноси́ть / унести́<br>уезжа́ть / уе́хать | от + G<br>Она́ ушла́ от дире́ктора.<br>в ou на + A<br>Они́ уе́хали во Фра́нцию.<br>Он уе́хал на о́стров. |
| ПОД- (подо-)<br>S'approcher<br>подходи́ть / подойти́<br>подъезжа́ть / подъе́хать | к + D<br>Учени́к подошёл к доске́.<br>Маши́на подъе́хала к до́му. |
| ОТ- (ото-)<br>S'éloigner<br>отходи́ть / отойти́<br>отъезжа́ть / отъе́хать<br>отплыва́ть / отплы́ть<br>относи́ть / отнести́<br>отвози́ть / отвезти́ | от + G<br>Она́ отплыла́ от бе́рега.<br>Маши́на отъе́хала от до́ма.<br>в ou на + A<br>Она́ отнесла́ кни́ги в библиоте́ку.<br>Они́ отвезли́ дете́й на вокза́л.<br>к + D<br>Он их отвезёт к себе́. |
| ЗА-<br>Passer (en s'arrêtant en chemin)<br>заходи́ть/ зайти́<br>заезжа́ть / зае́хать | в ou на + A<br>Зайди́ в кио́ск и купи́ газе́ту.<br>к + D<br>Они́ зае́хали ко мне и мы все пое́хали в лес. |
| ПРО-<br>Passer devant (sans s'arrêter)<br>проходи́ть / пройти́ | ми́мо + G<br>Мы прошли́ ми́мо магази́на. |
| ПЕРЕ-<br>Traverser, aller d'un endroit à l'autre<br>переходи́ть / перейти́<br>переплыва́ть / переплы́ть<br>перевози́ть / перевезти́ | A seul ou че́рез + A<br>Они́ переплы́ли о́зеро.<br>Он перешёл че́рез пло́щадь.<br>Они́ переплы́ли на друго́й бе́рег.<br>Я хочу́ перевезти́ ве́щи на да́чу. |
| ДО-<br>Aller jusqu'à<br>добега́ть / добежа́ть | до + G<br>Ребёнок добежа́л до шко́лы. |

## 7. Les prépositions

| accusatif | génitif | datif | instrumental | locatif |
|---|---|---|---|---|
| в | у | к | с | в |
| на | из | по | вме́сте с | на |
| че́рез | из-за | навстре́чу | за | о |
| наза́д | с | | пе́ред | при |
| по | от | | над | |
| | о́коло | | под | |
| | до | | ме́жду | |
| | напро́тив | | ря́дом с | |
| | по́сле | | | |
| | без | | | |
| | ми́мо | | | |
| | среди́ | | | |

**150**

## 8. Les numéraux

| Cardinaux | | Ordinaux | Cardinaux | | Ordinaux |
|---|---|---|---|---|---|
| 1 | оди́н | пе́рвый | 30 | три́дцать | тридца́тый |
| 2 | два | второ́й | 40 | со́рок | сороково́й |
| 3 | три | тре́тий | 50 | пятьдеся́т | пятидеся́тый |
| 4 | четы́ре | четвёртый | 60 | шестьдеся́т | шестидеся́тый |
| 5 | пять | пя́тый | 70 | се́мьдесят | семидеся́тый |
| 6 | шесть | шесто́й | 80 | во́семьдесят | восьмидеся́тый |
| 7 | семь | седьмо́й | 90 | девяно́сто | девяно́стый |
| 8 | во́семь | восьмо́й | 100 | сто | со́тый |
| 9 | де́вять | девя́тый | | | |
| 10 | де́сять | деся́тый | 200 | две́сти | |
| 11 | оди́ннадцать | оди́ннадцатый | 300 | три́ста | |
| 12 | двена́дцать | двена́дцатый | 400 | четы́реста | |
| 13 | трина́дцать | трина́дцатый | 500 | пятьсо́т | |
| 14 | четы́рнадцать | четы́рнадцатый | 600 | шестьсо́т | |
| 15 | пятна́дцать | пятна́дцатый | 700 | семьсо́т | |
| 16 | шестна́дцать | шестна́дцатый | 800 | восемьсо́т | |
| 17 | семна́дцать | семна́дцатый | 900 | девятьсо́т | |
| 18 | восемна́дцать | восемна́дцатый | | | |
| 19 | девятна́дцать | девятна́дцатый | 1000 | ты́сяча | |
| 20 | два́дцать | двадца́тый | 2000 | две ты́сячи … | |

# index
# des notions
# grammaticales

| | |
|---|---:|
| 1ʳᵉ déclinaison des noms : l'accusatif singulier | 120 |
| Accord du verbe avec un numéral ou un adverbe de quantité | 130 |
| Adjectif attribut du sujet | 131 |
| Adjectifs en base molle | 133 |
| Aspect après les verbes de phase (commencer, continuer, finir) | 132 |
| Attribut avec le verbe être au futur | 134 |
| Attribut du complément d'objet | 137 |
| Comparatif de supériorité suffixal | 135 |
| Comparatifs de supériorité et d'infériorité composés | 135 |
| Comparatif d'égalité | 136 |
| Complément de durée | 131 |
| Concordance des temps dans les subordonnées complétives | 134 |
| Constructions des verbes de souhait et d'ordre | 136 |
| Construction des verbes de perception | 134 |
| Datif, instrumental et locatif pluriel des noms | 128 |
| Datif, instrumental et locatif pluriel des pronoms-adjectifs possessifs | 128 |
| Datif, instrumental et locatif pluriel du démonstratif э́тот | 128 |
| Datif, instrumental et locatif pluriel des adjectifs en base dure | 128 |
| Déclinaison de лю́ди et де́ти | 129 |
| Déclinaison des neutres en -мя | 136 |
| Déclinaison des noms à base en /j/ | 129 |
| Déclinaison des noms de famille | 142 |
| Déclinaison des numéraux cardinaux | 138 |
| Déclinaison du pronom-adjectif вес, | 132 |
| Expression de la condition | 137 |
| Expression de la date : l'année et le mois | 129, 132 |
| Expression de la durée projetée | 129 |
| Expression de la possession au passé | 128 |
| Expression de l'heure | 127 |
| Expression de l'ordre et du souhait | 139 |
| Expression du but | 137 |
| Expression du temps | 141 |
| Formation des couples verbaux | 140 |
| Forme courte de l'adjectif | 132 |
| Futur | 130 |
| Futur du verbe быть | 130 |
| Génitif pluriel de l'adjectif en base dure | 126 |
| Génitif pluriel des noms | 126 |

Génitif pluriel des pronoms-adjectifs possessifs 126
Génitif pluriel du pronom-adjectif démonstratif э́тот 126
Interrogation directe 131
Interrogation indirecte 131
Nominatif pluriel des noms masculins en /a/ 126
Nom attribut du sujet 127
Noms masculins : pluriels irréguliers en N /j/ + /a/(-ья), G /j/ + /ov/ (-ев) 133
Noms masculins : pluriels irréguliers en N /j/+/a/ (-ья), G /j/+/ov/ (-ей) 132
Noms masculins : génitif en /u/ (-у/ю) 132
Noms мать et дочь 142
Particule бы et expression atténuée 137
Pronom сам 137
Pronom себя́ 129
Pronom-adjectif оди́н, одна́, одно́, одни́ 131
Pronom réciproque друг дру́га 127
Pronom relatif кото́рый 133
Pronoms, adverbes et adjectifs indéfinis 140
Pronoms et adverbes négatifs 142
Propositions impersonnelles avec prédicat verbal 128
Proposition subordonnée de concession 138
Proposition subordonnée de conséquence 138
Renforcement du comparatif 141
Superlatif 134
Syntaxe des numéraux 127
3e déclinaison des noms 131
Verbes de déplacement préverbés 127
Verbes de 3e classe 136
Voyelle mobile 126

# abréviations du manuel

A : accusatif
D : datif
dét. : déterminé
dim. : diminutif
f. : féminin
G : génitif
I : instrumental
indécl. : indéclinable
indét. : indéterminé

Ipf : imperfectif
L : locatif
m. : masculin
n. : neutre
N : nominatif
pers. : personne
Pf : perfectif
pl. : pluriel
sing. : singulier

# lexique

Les numéros renvoient aux numéros des leçons.
Les voyelles qui figurent en gras sont des voyelles mobiles.

## А

| | | |
|---|---|---|
| а то | 6 Б | sinon |
| абрико́с | 14 В | abricot |
| аванга́рд | 10 В | avant-garde |
| а́вгустовский | 10 Е | d'août |
| авиньо́нский | 10 В | d'Avignon |
| автобиографи́ческий | 8 В | autobiographique |
| авто́граф | 13 Д | autographe |
| а́втор | 6 Г | auteur |
| аге́нство | 1 Г | agence |
| адвока́т | 4 В | avocat |
| акти́вный | 8 Б | actif |
| актуа́льный | 12 Е | actuel |
| алле́я | 9 Г | allée |
| альтернати́ва | 6 В | alternatif (musique) |
| альтернати́вный | 6 Е | alternatif |
| алья́нс | 10 В | alliance |
| америка́нец | 14 Г | Américain |
| анке́та | 1 Е | questionnaire |
| анони́мный | 9 В | anonyme |
| антиква́р | 14 Г | antiquaire |
| антиква́рный | 12 Б | d'antiquités |
| антипа́тия | 9 В | antipathie |
| антирелиги́озный | 10 В | antireligieux |
| апельси́н | 14 В | orange |
| апте́ка | 3 В | pharmacie |
| аргуме́нт | 12 Е | argument |
| аристокра́т | 4 В | aristocrate |
| аристократи́ческий | 9 В | aristocratique |
| а́рмия | 11 В | armée |
| арома́т | 9 Д | arôme, parfum |
| арома́тный | 7 В | parfumé |
| арти́ст | 4 Г | artiste (homme) |
| арти́стка | 4 Д | artiste (femme) |
| архите́ктор | 4 Д | architecte |
| архитекту́ра | 10 В | architecture |
| астроно́мия | 7 В | astronomie |
| атмосфе́ра | 2 В | atmosphère |
| аудиопле́ер | 2 Б | baladeur |
| аукцио́н | 12 Г | vente aux enchères |
| афи́ша | 10 Е | affiche |
| африка́нский | 8 Б | africain |

## Б

| | | |
|---|---|---|
| бага́жник | 10 Д | coffre à bagages |
| база́р | 3 В | bazar |
| бал | 4 В | bal |
| ба́льный | 5 Г | de bal |
| баро́н | 9 Д | baron |
| ба́шня (G pl. ба́шен) | 3 В | tour |

| | | |
|---|---|---|
| бе́гать (indét. 2) | 8 А | courir |
| бе́дность (f.) | 12 В | pauvreté |
| бе́дный | 4 В | pauvre |
| бежа́ть (dét. бегу́, бежи́шь, бегу́т) | 8 А | courir |
| бе́жевый | 8 Е | beige |
| без (+ G) | 5 В | sans |
| белу́жий | 11 Е | d'esturgeon Belouga |
| беспоко́ить (Ipf, 1) | 13 Е | déranger |
| библиоте́карша | 4 Д | bibliothécaire (femme) |
| библиоте́карь (m.) | 4 Д | bibliothécaire (homme) |
| билья́рд | 6 В | billard |
| биографи́ческий | 5 Е | biographique |
| биогра́фия | 9 Б | biographie |
| био́лог | 4 Д | biologiste |
| бли́зкий | 7 В | proche |
| блонди́нка (G pl. блонди́нок) | 7 Б | blonde |
| блю́до (пе́рвое) | 4 Е | soupe |
| блю́до (второ́е) | 3 А | plat (de résistance) |
| бога́тство | 13 Г | richesse |
| бога́тый | 4 В | riche |
| бога́ч | 12 В | riche |
| бокс | 13 В | boxe |
| бо́лее | 9 В | plus |
| боль (f.) | 11 Г | douleur |
| бо́льше | 6 В | plus, davantage |
| большеви́к | 4 В | bolchévique |
| большинство́ | 12 В | majorité |
| бо́мба | 13 Г | bombe |
| босоно́жки | 8 Е | sandales, nu-pieds |
| боти́нки (G pl. боти́нок) | 8 Е | chaussures |
| бо́улинг | 6 В | bowling |
| бро́нза | 13 Г | bronze |
| бро́нзовый | 10 Б | de bronze |
| броса́ть (Ipf, 2) | 10 В | jeter |
| бро́сить (Pf, 1) | 10 В | jeter |
| брю́ки (pl, G брюк) | 8 Е | pantalon |
| буди́ть (Ipf, 1) | 14 Б | réveiller |
| бу́дущее | 4 Г | futur, avenir |
| бу́дущий | 4 Г | futur, prochain |
| буке́т | 10 Е | bouquet |
| бульва́р | 2 Г | boulevard |
| бульо́н | 11 Б | bouillon |
| буржуа́ (m, péjoratif) | 4 В | bourgeois |
| буржуа́зный | 10 В | bourgeois |
| бутербро́д | 6 Б | sandwich |
| бутербро́дная | 3 В | sandwicherie |
| бы́вший | 9 Б | ancien |
| бытово́й | 10 Е | de la vie quotidienne |

## B

| | | |
|---|---|---|
| ваго́н | 1 B | wagon |
| ваго́н-рестора́н | 1 B | wagon-restaurant |
| ва́жный | 9 Б | important |
| ва́нная | 4 B | salle de bains |
| вдалеке́ | 10 E | au loin |
| веду́щая | 8 B | animatrice |
| ведь | 2 Г | c'est que, en effet |
| везде́ | 7 B | partout |
| везти́ (dét, везу́, везёшь, везу́т, passé вёз, везла́, везло́, везли́) | 5 Б | mener, transporter |
| век | 5 A | siècle |
| вели́кий | 7 B | grand |
| велосипе́дный спорт | 6 E | cyclisme |
| вера́нда | 10 E | véranda |
| ве́рить (Ipf, 1 + D) | 11 Г | croire |
| верну́ться (Pf, верну́сь, вернёшься, верну́тся) | 9 B | revenir |
| ве́рхний | 13 Г | supérieur |
| верхова́я езда́ | 6 E | équitation |
| верши́на | 14 B | sommet |
| весёлый | 4 Б | joyeux, gai |
| весе́лье | 14 Д | gaieté |
| весе́нний | 9 A | du printemps, printanier |
| весна́ | 7 E | printemps |
| ве́стерн | 6 E | western |
| вести́ (dét, веду́, ведёшь, веду́т, passé вёл, вела́, вело́, вели́) | 3 Г | mener (à pied) |
| весь | 2 B | tout |
| ве́тер | 3 B | vent |
| вечери́нка | 6 B | soirée |
| вещь (f.) | 5 B | chose |
| взгляд | 9 Г | regard |
| взять (Pf, возьму́, возьмёшь, возьму́т) | 3 Г | prendre |
| вид спо́рта | 2 B | sport |
| вид тра́нспорта | 13 A | moyen de transport |
| ви́ден | 11 Б | visible, qu'on voit |
| видеопрое́ктор | 2 Б | vidéo-projecteur |
| ви́деться (Ipf, 1) | 4 Г | se voir |
| визи́тный | 11 A | de visite |
| ви́лка (G pl. ви́лок) | 3 A | fourchette |
| винегре́т | 3 A | salade russe |
| ви́нный | 11 E | de vin, au vin |
| виногра́д | 14 B | raisin |
| виолонче́ль (f.) | 5 B | violoncelle |
| висе́ть (Ipf, 1) | 3 A | être accroché, être suspendu |
| витами́н | 14 B | vitamine |
| ви́шня | 14 B | cerise |
| вла́сти | 11 B | autorités |
| власть (f.) | 11 B | pouvoir |
| влюби́ться (Pf, 1) | 9 Г | tomber amoureux, amoureuse |
| влюбля́ться (Ipf, 2) | 9 Г | tomber amoureux, amoureuse |

| | | |
|---|---|---|
| вме́сте с (+ I) | 1 Б | avec |
| внача́ле | 5 E | au début |
| внук | 4 A | petit-fils |
| вну́чка | 3 B | petite-fille |
| во вре́мя (+ G) | 4 B | pendant |
| во ско́лько | 1 B | à quelle heure |
| во-вторы́х | 12 E | deuxièmement |
| води́тель (m.) | 13 E | conducteur, chauffeur |
| води́ть (indét, 1) | 3 Г | mener (à pied), conduire |
| вое́нный | 5 B | militaire |
| возвраща́ться (Ipf, 2) | 9 B | rentrer, revenir |
| возвраще́ние | 9 B | retour |
| вози́ть (indét, 1) | 5 Б | transporter, conduire |
| война́ | 5 Г | guerre |
| войти́ (Pf, войду́, войдёшь, войду́т) | 2 Г | entrer |
| вокза́л | 1 B | gare |
| волне́ние | 12 A | émotion |
| во́лосы (pl. G воло́с) | 8 A | cheveux |
| волше́бница | 9 A | magicienne |
| вообще́ | 3 Г | en général, d'une façon générale |
| во-пе́рвых | 12 E | premièrement |
| вопро́с | 1 Б | question |
| воскли́кнуть (Pf, 3) | 14 Г | s'exclamer |
| восклица́ть (Ipf, 2) | 14 Г | s'exclamer |
| восто́к | 7 B | est |
| восто́чный | 11 B | de l'est, oriental |
| впада́ть (Ipf, 2) | 12 B | tomber, se jeter dans |
| впасть (Pf, впаду́, впадёшь, впаду́т) | 12 B | tomber, se jeter dans |
| вплыва́ть (Ipf, 2) | 14 B | entrer (bateau) |
| вплыть (Pf, вплыву́, вплывёшь, вплыву́т) | 14 B | entrer (bateau) |
| вре́мя (n.) | 1 Б | temps |
| вре́мя го́да | 9 A | saison |
| вруче́ние | 13 Д | remise |
| вряд ли | 8 Б | c'est peu probable |
| всё-таки | 11 B | pourtant |
| вспомина́ть (Ipf, 2) | 9 Б | évoquer des souvenirs, se souvenir |
| вспо́мнить (Pf, 1) | 9 Б | se souvenir, se rappeler |
| встава́ть (Ipf, встаю́, встаёшь, встаю́т) | 6 A | se lever |
| вста́вить (Pf, 1) | 3 E | intégrer |
| вставля́ть (Ipf, 2) | 3 E | intégrer |
| встать (Pf, вста́ну, вста́нешь, вста́нут) | 6 A | se lever |
| вход | 3 Д | entrée |
| входи́ть (Ipf, 1) | 2 Г | entrer |
| въезжа́ть (Ipf, 2) | 2 Д | entrer (en moyen de transport) |
| въе́хать (Pf, въе́ду, въе́дешь, въе́дут) | 2 Д | entrer (en moyen de transport) |
| выбира́ть (Ipf, 2) | 2 Г | choisir |
| вы́бор | 12 B | choix |

| | | |
|---|---|---|
| вы́брать (Pf, вы́беру, вы́берешь, вы́берут) | 2 Г | choisir |
| выдава́ть (за́муж) (Ipf, выдаю́, выдаёшь, выдаю́т) | 14 Б | donner (en mariage) |
| вы́дать (за́муж) (Pf, вы́дам, вы́дашь, вы́даст, вы́дадим, вы́дадите, вы́дадут) | 14 Б | donner (en mariage) |
| выезжа́ть (Ipf, 2) | 2 Д | sortir (en moyen de transport) |
| вы́ехать (Pf, вы́еду, вы́едешь, вы́едут) | 2 Д | sortir (en moyen de transport) |
| вы́йти (Pf, вы́йду, вы́йдешь, вы́йдут) | 2 Г | sortir |
| вы́пить (Pf, вы́пью, вы́пьешь, вы́пьют) | 6 Е | boire |
| выража́ть (Ipf, 2) | 9 Г | exprimer |
| выраже́ние | 6 Е | expression |
| вы́разить (Pf, 1) | 9 Г | exprimer |
| высо́кий | 8 А | grand, haut |
| вы́ставка | 13 Б | exposition |
| вы́ход | 3 Д | sortie |
| выходи́ть (Ipf, 1) | 2 Г | sortir |
| выходи́ть за́муж (Ipf, 1) | 5 В | se marier (pour une femme) |
| выходно́й (день) | 2 В | jour chômé, non travaillé |

## Г

| | | |
|---|---|---|
| газиро́ванный | 11 Б | gazeux |
| га́нгстер | 10 Д | gangster |
| гандбо́л | 6 Е | handball |
| гармо́ния | 10 Е | harmonie |
| где-нибудь | 13 Б | quelque part |
| где-то | 13 Б | quelque part |
| геоло́гия | 1 Е | géologie |
| геройня | 9 В | héroïne |
| гимна́зия | 4 Б | lycée |
| гла́вный | 2 Г | principal |
| глаз (N pl. глаза́ G pl. глаз) | 8 А | œil |
| глубо́кий | 8 Б | profond |
| гнев | 12 А | colère |
| головно́й | 11 Г | de tête |
| головно́й убо́р | 8 Е | couvre-chef |
| го́лоден | 11 Б | qui a faim |
| го́лос | 14 В | voix |
| голубизна́ | 14 В | bleu azur |
| гора́ | 14 А | montagne |
| гора́здо | 13 В | bien, beaucoup (+ comparatif) |
| городско́й | 10 Е | de la ville, citadin |
| господи́н | 1 Е | monsieur |
| госпожа́ | 1 Е | madame |
| гости́ная | 9 Б | salon |
| гость (m.) | 3 Б | invité |
| го́стья | 7 Г | invitée |
| госуда́рственный | 13 Д | d'État |

| | | |
|---|---|---|
| гото́в | 6 В | prêt |
| гра́дус | 9 Г | degré |
| гражда́нский | 5 Г | civil |
| грамм | 11 Е | gramme |
| гра́мота | 13 Д | diplôme |
| грандио́зный | 13 Г | grandiose |
| грани́ца | 7 В | frontière |
| гриб | 11 Д | champignon |
| гро́зный | 11 В | terrible, menaçant |
| гру́бый | 14 В | grossier |
| гру́стно | 6 Г | triste, tristement |
| гру́стный | 4 Б | triste |
| грусть (f.) | 12 А | tristesse |
| гру́ша | 14 В | poire |
| губе́рния | 8 В | gouvernement (division territoriale dans la Russie tsariste) |

## Д

| | | |
|---|---|---|
| да́вка | 12 В | presse, cohue |
| давно́ | 3 Б | depuis longtemps |
| далёкий | 11 В | lointain |
| да́нные | 12 В | données |
| дари́ть (Ipf, 1) | 5 В | offrir |
| да́та | 1 Е | date |
| да́ча | 6 В | datcha, résidence secondaire |
| дво́е | 5 Е | deux |
| дво́йка | 2 Е | deux (note scolaire) |
| двор | 3 В | cour |
| дворе́ц | 5 В | palais |
| дворяни́н (N pl. дворя́не, G pl. дворя́н) | 5 В | noble (un) |
| дворя́нка | 5 В | noble (une) |
| дед моро́з | 13 Д | Père Noël |
| дежу́рный, дежу́рная | 2 А | personne de service |
| деклара́ция | 4 Д | déclaration |
| делега́ция | 7 В | délégation |
| де́ло | 3 Б | chose, affaire |
| демократизи́ровать (Ipf et Pf, 2) | 4 Д | démocratiser |
| день рожде́ния | 3 В | anniversaire |
| де́ньги (pl, G де́нег) | 8 Г | argent |
| депресси́вный | 12 В | (ici) défavorisé |
| дереве́нский | 10 Е | de la campagne |
| де́рево | 9 А | arbre |
| десе́рт | 14 Б | dessert |
| де́спот | 9 Д | despote |
| деспоти́чный | 7 В | cruel |
| десятиле́тний | 7 В | de dix ans |
| детекти́в | 6 Е | roman policier |
| де́тство | 4 В | enfance |
| дёшево | 8 Б | pas cher, bon marché |
| дешёвый | 8 Б | pas cher, bon marché |
| джаз | 6 В | jazz |
| джи́нсы (pl.) | 8 Б | jean |
| дидже́й | 6 В | *DJ* |

| | | |
|---|---|---|
| дизáйнер | 8 Б | (ici) couturier |
| диск | 11 Г | disque |
| дискýссия | 7 В | discussion |
| длинá | 1 В | longueur |
| дли́нный | 8 А | long |
| дли́ться (Ipf, 1) | 10 В | durer |
| дневни́к | 8 В | journal intime |
| до (+ G) | 1 В | jusqu'à |
| до (+ G) | 4 Б | avant |
| добирáться (Ipf, 2) | 14 В | parvenir |
| добрáться (Pf, доберýсь, доберёшься, доберýтся) | 14 В | parvenir |
| доброво́лец | 13 В | volontaire |
| до́брый | 11 Е | bon, gentil |
| дово́лен | 2 Б | content |
| договáриваться (Ipf, 2) | 13 Б | se mettre d'accord |
| договори́ться (Pf, 1) | 13 Б | être d'accord |
| доезжáть (Ipf, 2) | 13 Е | aller jusqu'à (moyen de transport) |
| дое́хать (Pf, дое́ду, дое́дешь, дое́дут) | 13 Е | aller jusqu'à (moyen de transport) |
| дождь (m.) | 3 Г | pluie |
| дозвони́ться (Pf, 1) | 13 Б | joindre (au téléphone) |
| документáльный | 6 Е | documentaire |
| до́лгий | 11 В | long |
| долгожи́тель (m.) | 3 Б | personne très âgée |
| до́лжен | 9 Г | qui doit |
| дополня́ть (Ipf, 2) | 10 Г | compléter |
| доро́га | 5 Б | route, chemin |
| до́рого | 8 Б | cher |
| дорого́й | 3 Г | cher |
| дочь (f.) | 14 Б | fille |
| дрáма | 9 В | drame |
| дре́вний | 14 Б | ancien |
| друг (N pl. друзья́ G pl. друзе́й) | 6 Б | ami |
| друг дру́га | 7 Е | l'un l'autre, les uns les autres |
| друго́й | 2 Г | autre |
| дружи́ть (Ipf, 1) | 2 Б | être ami(s) |
| дру́жный | 3 Г | uni, qui s'entend bien |
| душевáя | 2 А | salle de douche |
| дуэ́ль (f.) | 9 В | duel |
| дуэ́т | 6 Г | duo |
| дья́вол | 13 В | diable |

**Е**

| | | |
|---|---|---|
| едá | 11 Г | nourriture |
| едини́ца | 2 Е | un (note scolaire) |
| е́сли | 10 Б | si |
| е́сли бы | 10 Г | si |

**Ж**

| | | |
|---|---|---|
| жандáрм | 9 В | gendarme |
| жанр | 10 Е | genre |
| жáреный | 11 Б | frit, cuit à la poêle |
| желáние | 9 Б | désir, souhait |
| желáть (Ipf, 2, + G) | 7 Г | souhaiter |

| | | |
|---|---|---|
| женáт | 5 Е | marié |
| жене́вский | 8 Б | de Genève, genevois |
| жени́тьба | 9 В | mariage |
| жени́ться (Ipf et Pf, 1) | 5 В | se marier (pour un homme) |
| жени́ться (Ipf, 1) | 5 В | se marier (pour un couple) |
| же́нский | 2 А | féminin |
| же́ртва | 13 В | victime |
| жесто́кий | 5 В | cruel |
| жив | 5 Г | vivant |
| жи́вопись (f.) | 10 В | peinture |
| живо́т | 8 А | ventre |
| жизнь (f.) | 3 Е | vie |
| жили́щный | 3 Б | de logement |
| жи́тель (m.) | 1 В | habitant |
| журнали́стика | 3 В | journalisme |

**З**

| | | |
|---|---|---|
| за грани́цу/за грани́цей | 7 Б | à l'étranger |
| за (+ I) | 2 А | derrière |
| забывáть (Ipf, 2) | 13 Б | oublier |
| забы́ть (Pf, забýду, забýдешь, забýдут) | 13 Б | oublier |
| заво́д | 10 В | usine |
| здáние | 4 Г | bâtiment |
| здоро́вье | 7 Г | santé |
| земля́ (G pl. земе́ль) | 5 В | terre |
| зе́ркало | 12 Б | miroir |
| зе́ркальце | 12 Б | miroir |
| зи́мний | 7 А | d'hiver, hivernal |
| злоде́й | 13 В | scélérat |
| знако́мить (Ipf, 1) | 2 Г | présenter |
| знако́миться (Ipf, 1, с + I) | 1 Г | faire connaissance |
| знамени́тый | 9 В | célèbre |
| зна́чит | 5 Е | donc |
| зна́чить (Ipf, 1) | 11 Г | signifier |
| золото́й | 3 В | d'or, en or |
| зоо́лог | 4 Д | zoologiste |
| зук | 6 Е | zouk |

**И**

| | | |
|---|---|---|
| и́го | 11 В | joug |
| идеáл | 9 Д | idéal |
| идеáльный | 2 В | idéal |
| из (+ G) | 1 Б | de |
| изве́стный | 8 Б | connu |
| издавáть (Ipf, издаю́, издаёшь, издаю́т) | 9 В | éditer |
| издáть (Pf, издáм, издáшь, издадýт) | 9 В | éditer |
| из-за (+ G) | 4 В | à cause de |
| из-за (+ G) | 11 В | d'au-delà de, de |
| измени́ть (Pf, 1) | 10 В | changer |
| измени́ться (Pf, 1) | 11 В | changer |
| изображáть (Ipf, 2) | 10 А | représenter |

| | | |
|---|---|---|
| изобрази́ть (Pf, 1) | 10 А | représenter |
| ико́на | 12 Б | icône |
| иллюстри́ровать (Ipf, 2) | 4 Д | illustrer |
| име́ние | 5 Б | propriété |
| име́ть (Ipf, 2) | 5 В | avoir, posséder |
| импера́тор | 5 В | empereur |
| импера́торский | 4 В | impérial |
| императри́ца | 5 В | impératrice |
| индивидуали́зм | 10 В | individualisme |
| инди́йский | 8 Б | indien |
| индустриализа́ция | 13 В | industrialisation |
| иногда́ | 6 В | quelquefois |
| иностра́нец | 1 Г | étranger |
| иностра́нка (G pl. иностра́нок) | 1 Г | étrangère |
| иностра́нный | 2 А | étranger |
| инструме́нт | 5 В | instrument |
| интервью́ | 13 В | interview |
| интере́с | 9 В | intérêt |
| интересова́ть (Ipf, 2) | 11 Е | intéresser |
| интересова́ться (Ipf, 2, + I) | 2 Г | s'intéresser |
| интерье́р | 9 Д | intérieur |
| интри́га | 7 В | intrigue |
| информа́тика | 2 В | informatique |
| информа́ция | 4 Д | information |
| иска́ть (Ipf, ищу́, и́щешь, и́щут) | 10 В | chercher |
| иску́сство | 10 В | art |
| исла́м | 11 А | Islam |
| испо́льзовать (Ipf, 2) | 4 В | utiliser |
| испра́вить (Pf, 1) | 3 Б | corriger |
| исправля́ть (Ipf, 2) | 3 Б | corriger |
| испыта́ть (Pf, 2) | 12 А | ressentir, éprouver |
| испы́тывать (Ipf, 2) | 12 А | ressentir, éprouver |

**К**

| | | |
|---|---|---|
| к сожале́нию | 8 Г | malheureusement |
| кабине́т | 2 А | cabinet, salle |
| каза́к | 5 В | cosaque |
| каза́нский | 2 В | de Kazan |
| каза́ться (Ipf, кажу́сь, ка́жешься, ка́жутся) | 2 В | sembler |
| как до́лго | 4 В | (pendant) combien de temps |
| как раз | 5 Б | justement, précisément |
| како́й-то | 12 Б | un certain, un |
| ка́менный | 14 В | de pierre |
| ками́н | 10 Б | cheminée |
| кана́л | 6 Е | canal |
| канцтова́ры | 3 В | papeterie |
| карао́ке (indécl.) | 6 Е | karaoké |
| карате́ | 2 В | karaté |
| ка́рий | 8 А | marron (yeux) |
| карикату́ра | 12 В | caricature |
| карнава́л | 8 В | carnaval |
| карт | 6 Е | carting |
| карти́нка | 10 Е | dessin |
| карто́фель (m.) | 11 Б | pomme(s) de terre |
| ка́сса | 11 Г | caisse |
| ката́ние | 13 Д | fait de glisser ou de rouler |
| като́к | 6 Е | patinoire |
| квадра́т | 10 В | carré |
| квадра́тный | 11 А | carré |
| кварта́л | 4 Г | quartier |
| ке́ды (pl. G ке́дов) | 8 Е | baskets (toile) |
| ке́пка | 8 Е | casquette |
| ки́евский | 14 В | de Kiev |
| кипари́с | 14 В | cyprès |
| клавиату́ра | 2 Б | clavier |
| кла́ссика | 13 Б | les classiques |
| классици́зм | 10 В | classicisme |
| класси́ческий | 6 Е | classique |
| кла́ссный | 6 В | classe |
| класть (Ipf, кладу́, кладёшь, кладу́т) | 3 А | poser (à plat, à l'horizontale) |
| клие́нт | 11 Д | client |
| клуб | 6 В | club |
| ключ | 2 А | clé |
| кни́жка | 5 Г | petit livre ; carnet |
| кни́жный магази́н | 4 В | librairie |
| кня́жество | 11 В | principauté |
| князь (m.) | 11 В | prince |
| когда́-нибудь | 13 Б | un jour |
| когда́-то | 13 Б | un jour, autrefois |
| коллекти́в | 3 В | groupe de personnes travaillant ensemble |
| коллекционе́р | 9 Б | collectionneur |
| коллекциони́ровать (Ipf, 2) | 14 Г | collectionner |
| колле́кция | 4 Д | collection |
| коло́нна | 9 Г | colonne |
| колосса́льный | 13 В | colossal |
| кома́нда | 6 В | équipe |
| коме́дия | 6 Е | comédie |
| коммента́рий | 4 Д | commerçant |
| комму́на | 10 В | commune |
| коммуна́льный | 4 Б | communautaire |
| коммуни́зм | 13 Г | communisme |
| коммунисти́ческий | 10 В | communiste |
| компа́ния | 7 Г | bande d'amis |
| компа́ния | 4 Г | firme, compagnie |
| ко́мплекс | 3 В | complexe |
| компози́ция | 10 А | composition |
| компью́терный | 2 Б | informatique |
| комсомо́лец | 13 Г | komsomol |
| конве́рт | 3 В | enveloppe |
| коне́ц | 12 Б | fin |
| коне́чный | 1 В | final, terminus |
| конститу́ция | 7 Е | constitution |
| контра́ст | 10 Е | contraste |
| контроли́ровать (Ipf, 2) | 2 Д | contrôler |
| конфискова́ть (Ipf et Pf, 2) | 4 В | confisquer |
| конце́ртный зал | 4 В | salle de concert |
| конча́ть (Ipf, 2) | 5 Г | finir, terminer |
| конча́ться (Ipf, 2) | 7 В | finir, se terminer |

| | | |
|---|---|---|
| ко́нчить (Pf, 1) | 5 Г | finir, terminer |
| ко́нчиться (Pf, 1) | 7 В | finir, se terminer |
| координа́ты | 12 Г | coordonnées |
| копе́йка (G pl. копе́ек) | 8 Г | kopeck |
| кора́бль (m.) | 7 В | bateau, navire |
| ко́рень (m.) | 5 Б | racine |
| коридо́р | 2 А | couloir |
| кори́чневый | 8 Е | marron |
| коро́ль (m.) | 14 Б | roi |
| коро́ткий | 8 А | court |
| костю́м | 8 В | costume |
| котле́та | 11 Д | boulette |
| кото́рый | 7 Б | qui, que |
| котте́дж | 10 Г | cottage, maison |
| край | 9 Б | région, pays |
| кра́ска | 10 Е | couleur, peinture |
| креве́тка | 6 В | crevette |
| кремлёвский | 3 В | du Kremlin |
| крепостно́е пра́во | 5 В | servage |
| крепостно́й | 5 В | serf |
| кре́сло | 10 Е | fauteuil |
| крестья́нин (N pl. крестья́не G pl. крестья́н) | 5 В | paysan |
| крестья́нка | 5 В | paysanne |
| крестья́нский | 5 В | paysan, des paysans |
| кри́зис | 12 В | crise |
| критикова́ть (Ipf, 2) | 10 В | critiquer |
| крича́ть (Ipf, 1) | 8 Д | crier |
| кроссо́вки | 8 Е | baskets |
| кружо́к | 2 В | club |
| кру́пный | 11 А | grand, important |
| кры́мский | 14 Г | de Crimée |
| кста́ти | 5 Г | au fait, à propos |
| кто́-нибудь | 13 Б | quelqu'un |
| кто́-то | 13 Б | quelqu'un |
| куби́стский | 10 В | cubiste |
| куда́-нибудь | 13 Б | quelque part |
| куда́-то | 13 Б | quelque part |
| кулина́рный | 2 В | culinaire, de cuisine |
| культу́ра | 6 Е | culture |
| культу́рный | 3 В | culturel |
| купа́льный костю́м | 8 Е | maillot de bain |
| купе́ (indécl.) | 1 В | compartiment |
| купе́йный | 1 В | à compartiments |
| купе́ц | 4 В | marchand |
| ку́пол (N pl. купола́) | 3 В | coupole |
| ку́ртка | 8 Г | veste, blouson |
| ку́хня | 2 А | cuisine |

## Л

| | | |
|---|---|---|
| ла́сковый | 14 В | doux, caressant |
| лев (G sg. льва) | 10 Б | lion |
| леге́нда | 11 В | légende |
| легко́ | 1 Д | facilement |
| ленини́зм | 14 Д | léninisme |
| ле́стница | 2 А | escalier |
| лета́ть (indét, 2) | 10 А | voler, se déplacer en avion |
| лете́ть (dét, 1) | 10 А | voler, se déplacer en avion |
| ле́тний | 7 А | d'été, estival |
| лечь (Pf, ля́гу, ля́жешь, ля́гут) | 6 А | se coucher |
| ли | 5 Г | est-ce que (interrogation directe), si (interrogation indirecte) |
| ли́ния | 8 Б | ligne |
| лифт | 2 А | ascenseur |
| лицеи́ст | 9 В | lycéen |
| лице́й | 7 Б | lycée |
| ли́чность (f.) | 9 В | personnalité |
| ложи́ться (Ipf, 1) | 6 А | se coucher |
| ло́жка (G pl. ло́жек) | 3 А | cuillère |
| ло́шадь (f.) | 5 В | cheval |
| лу́чше | 6 В | mieux |
| лу́чший | 12 Е | le meilleur |
| лы́жный спорт | 6 Е | ski |
| льви́ный | 10 Б | de lion, léonin |
| любе́зный | 11 Е | aimable |
| любова́ться (Ipf, 2, + I) | 3 В | admirer |
| любо́вный | 6 Е | d'amour |
| любо́вь (f.) | 7 Г | amour |
| любозна́тельный | 7 В | curieux d'esprit |

## М

| | | |
|---|---|---|
| ма́йка | 8 В | tee-shirt |
| ма́ло (+ G) | 1 В | peu |
| ма́лый | 12 В | petit |
| ма́нга | 6 Е | manga |
| манифе́ст | 10 В | manifeste |
| мануфакту́ра | 7 В | manufacture |
| марина́да | 11 Е | marinade |
| марино́ванный | 11 Д | mariné |
| ма́рка (G pl. ма́рок) | 3 В | timbre |
| ма́ссовый | 10 В | de masse |
| мастерска́я | 14 Г | atelier |
| матема́тик | 4 Г | mathématicien |
| матрёшка | 11 Е | matriochka, poupée russe |
| медальо́н | 14 Г | médaillon |
| медсестра́ (N pl. медсёстры G pl. медсестёр) | 1 В | infirmière |
| ме́жду (+ I) | 2 А | entre |
| междунаро́дный | 7 Г | international |
| мемуа́ры | 4 В | mémoires |
| ме́нее | 9 В | moins |
| ме́ньше | 6 В | moins |
| меня́ть (Ipf, 2) | 5 В | changer, échanger |
| меня́ться (Ipf, 2) | 11 В | changer |
| ме́сто | 1 В | place, endroit |
| мета́лл | 6 В | métal |
| мецена́т | 5 В | mécène |
| мече́ть (f.) | 11 Б | mosquée |
| мечта́ | 1 Г | rêve (éveillé) |
| мечта́ть (Ipf, 2, о(б)+ L) | 1 Г | rêver (éveillé) |
| мили́ция | 10 Д | milice |

| Russe | Réf. | Français |
|---|---|---|
| миллиарде́р | 12 В | milliardaire |
| миллио́н | 4 В | million |
| ми́лый | 3 Е | cher, chéri |
| ми́мо (+ G) | 10 Б | près de, devant |
| минера́льный | 11 Б | minéral |
| миниго́льф | 6 Е | mini-golf |
| ми́нус | 13 Б | moins |
| мир | 3 В | monde |
| мла́дший | 7 В | cadet |
| мне́ние | 12 Е | avis, opinion |
| мно́гие | 3 Г | beaucoup, nombreux |
| мно́го (+ G) | 1 В | beaucoup |
| мобильный | 2 Б | mobile, portable |
| мо́да | 8 Б | mode |
| моде́ль (f.) | 8 Г | modèle |
| мо́дный | 8 Г | à la mode |
| молодёжь (f.) | 6 В | jeunesse |
| мо́лодость (f.) | 5 Г | jeunesse |
| молча́ть (Ipf, 1) | 14 Г | se taire |
| моме́нт | 13 В | moment |
| моро́женое | 7 Б | glace |
| москви́ч | 13 Г | Moscovite |
| моти́в | 11 В | motif |
| моторо́ллер | 3 Б | scooter |
| мра́мор | 13 Г | marbre |
| мужско́й | 2 А | masculin |
| музеологи́ческий | 3 В | de muséologie |
| музыка́льный | 3 В | musical |
| музыка́нт | 4 Д | musicien, instrumentiste |
| музыка́нтша | 4 Д | musicienne, instrumentiste |
| мультфи́льм | 6 Е | dessin animé |
| мусульма́нский | 11 В | musulman |

## Н

| Russe | Réf. | Français |
|---|---|---|
| на (+ A) | 3 Г | pour (durée) |
| на́бережная | 4 Г | quai |
| навстре́чу (+ D) | 14 В | à la rencontre de |
| наде́жда | 12 Б | espoir |
| наде́яться (Ipf, 2) | 3 Г | espérer |
| надувны́е са́ни | 13 Д | luge gonflable |
| наза́д (+ A) | 3 В | il y a |
| назва́ние | 7 А | nom, titre |
| назва́ть (Pf, назову́, назовёшь, назову́т) | 7 А | appeler, nommer |
| назнача́ть (Ipf, 2) | 9 Б | nommer |
| называ́ть (Ipf, 2) | 7 А | appeler, nommer |
| называ́ться (Ipf, 2) | 7 А | s'appeler |
| найти́ (Pf, найду́, найдёшь, найду́т) | 9 Г | trouver |
| намно́го | 13 В | bien (+ comparatif) |
| наоборо́т | 8 Г | au contraire |
| напева́ть (Ipf, 2) | 14 В | chantonner |
| напи́ток | 6 Б | boisson |
| наприме́р | 5 В | par exemple |
| напро́тив (+ G) | 14 Б | en face |
| наро́д | 9 Б | peuple |

| Russe | Réf. | Français |
|---|---|---|
| населе́ние | 11 А | population |
| насто́льный те́ннис | 6 Е | tennis de table |
| натюрмо́рт | 9 Д | nature morte |
| научи́ть (Pf, 1) | 7 В | apprendre, enseigner |
| научи́ться (Pf, 1) | 7 В | apprendre (à faire quelque chose) |
| находи́ть (Ipf, 1) | 9 Г | trouver |
| находи́ться (Ipf,1) | 1 А | se trouver |
| национализи́ровать (Ipf et Pf, 2) | 4 Д | nationaliser |
| национа́льность (f.) | 11 А | nationalité |
| на́ция | 4 Д | nation |
| нача́ло | 6 В | début |
| нача́ть (Pf, начну́, начнёшь, начну́т) | 5 Г | commencer |
| нача́ться (Pf, начнётся, начну́тся) | 7 В | commencer |
| начина́ть (Ipf, 2) | 5 Г | commencer |
| начина́ться (Ipf, 2 ) | 7 В | commencer |
| не́бо | 9 А | ciel |
| нева́жно | 11 Г | pas bien |
| невысо́кий | 8 А | pas grand |
| негазиро́ванный | 11 Б | non gazeux, plat |
| неда́вно | 3 Б | depuis peu de temps |
| недово́лен | 2 Б | mécontent |
| недо́рого | 8 Б | pas cher |
| недорого́й | 8 Б | pas cher |
| незави́симо от (+ G) | 12 В | indépendamment de |
| неизве́стный | 11 В | inconnu |
| немно́го | 1 Е | un peu |
| непра́вильно | 12 Г | inexact, de manière inexacte |
| не́сколько (+ G) | 1 В | quelques, plusieurs |
| несогла́сен | 12 Е | pas d'accord |
| нести́ (dét, несу́, несёшь, несу́т, passé нёс, несла́, несло́, несли́) | 3 А | porter |
| нефть (f.) | 11 А | pétrole |
| нигде́ | 14 А | nulle part |
| ни́зкий | 8 Г | bas |
| никто́ | 10 Е | personne |
| никуда́ | 14 А | nulle part (avec changement de lieu) |
| новосе́лье | 3 А | pendaison de crémaillère |
| нож | 3 А | couteau |
| нос | 8 А | nez |
| носи́льщик | 14 В | porteur |
| носи́ть (indét, 1) | 3 А | porter |
| но́ты | 3 В | partition(s) |
| ну́жный | 11 В | nécessaire |

## О

| Russe | Réf. | Français |
|---|---|---|
| о́блако | 14 А | nuage |
| о́бласть (f.) | 11 А | région |
| обма́н | 9 Г | tromperie |
| обнима́ть (Ipf, 2) | 3 Е | étreindre, embrasser |
| образе́ц | 1 Г | modèle |

| | | |
|---|---|---|
| о́бувь (f.) | 3 B | chaussures |
| обща́ться (Ipf, 2) | 2 Г | avoir des contacts, communiquer, fréquenter |
| общежи́тие | 2 A | foyer |
| обще́ственный | 6 B | social ; public |
| о́бщество | 9 B | société |
| о́бщий | 4 B | commun |
| обяза́тельно | 3 Б | sans faute, obligatoirement |
| огро́мный | 4 B | énorme, immense |
| одева́ться (Ipf, 2) | 6 A | s'habiller |
| оде́жда | 8 Б | vêtement |
| оде́т | 8 B | habillé |
| оде́ться (Pf, оде́нусь, оде́нешься, оде́нутся) | 6 A | s'habiller |
| оди́н | 5 Б | seul |
| одна́жды | 5 E | une fois, un jour |
| оказа́ться (Pf, окажу́сь, ока́жешься, ока́жутся) | 14 Г | se trouver, s'avérer |
| ока́зываться (Ipf, 2) | 14 Г | se trouver, s'avérer |
| океа́н | 7 B | océan |
| оконча́ние | 9 B | fin |
| око́нчить (Pf, 1) | 8 B | finir |
| окруже́ние | 13 B | entourage, milieu |
| опера́ция | 4 Д | opération |
| описа́ние | 10 E | description |
| описа́ть (Pf, опишу́, опи́шешь, опи́шут) | 1 B | décrire |
| опи́сывать (Ipf, 2) | 1 B | décrire |
| опя́ть | 4 Г | de nouveau |
| ора́нжевый | 8 E | orange |
| организа́ция | 4 Д | organisation |
| организова́ть (Ipf et Pf, 2) | 2 B | organiser |
| оригина́л | 3 Б | original |
| оригина́льный | 9 B | original |
| освети́ть (Pf, 1) | 14 B | éclairer |
| освеща́ть (Ipf, 2) | 14 B | éclairer |
| освободи́тель (m.) | 5 B | libérateur |
| освободи́ть (Pf, 1) | 5 B | libérer |
| освободи́ться (Pf, 1) | 11 B | se libérer |
| освобожда́ть (Ipf, 2) | 5 B | libérer |
| освобожда́ться (Ipf, 2) | 11 B | se libérer |
| освобожде́ние | 9 Д | libération |
| осе́нний | 9 A | d'automne, automnal |
| осетро́вый | 11 E | d'esturgeon |
| осо́бенно | 5 B | particulièrement, surtout |
| остава́ться (Ipf, остаю́сь, остаёшься, остаю́тся) | 9 B | rester |
| оста́вить (Pf, 1) | 4 B | laisser |
| оставля́ть (Ipf, 2) | 4 B | laisser |
| остано́вка (G pl. остано́вок) | 13 E | arrêt, station |
| оста́ться (Pf, оста́нусь, оста́нешься, оста́нутся) | 9 B | rester |
| осторо́жно | 13 E | attention |
| о́стров (N pl. острова́) | 1 A | île |
| от (+ G) | 1 Б | de |
| отбо́й | 6 Д | (ici) repos |
| отве́т | 2 B | réponse |
| отде́л | 8 E | rayon (magasin) |
| отде́льный | 4 B | séparé, à part |
| о́тдых | 2 A | repos, loisir |
| отказа́ться (Pf, откажу́сь, отка́жешься, отка́жутся) | 11 B | refuser |
| отка́зываться (Ipf, 2) | 11 B | refuser |
| открыва́ться (Ipf, 2) | 5 Б | ouvrir, s'ouvrir |
| откры́тие | 5 Б | ouverture, inauguration |
| откры́тка (G pl. откры́ток) | 3 B | carte postale |
| откры́ть (Pf, откро́ю, откро́ешь, откро́ют) | 5 Б | ouvrir |
| откры́ться (Pf, откро́юсь, откро́ешься, откро́ются) | 5 Б | ouvrir, s'ouvrir |
| отку́да | 1 Б | d'où |
| отме́на | 5 B | suppression, abolition |
| отмени́ть (Pf, 1) | 5 B | supprimer, abolir |
| отменя́ть (Ipf, 2) | 5 B | supprimer, abolir |
| отнести́сь (Pf, отнесу́сь, отнесёшься, отнесу́тся) | 13 B | avoir une attitude, une opinion |
| относи́ться (Ipf, 1) | 13 B | avoir une attitude, une opinion |
| отноше́ние | 13 B | attitude, rapport |
| отойти́ (Pf, отойду́, отойдёшь, отойду́т) | 10 Б | s'éloigner |
| отправле́ние | 13 Д | départ |
| отры́вок | 13 B | extrait |
| отходи́ть (Ipf, 1) | 10 Б | s'éloigner |
| о́тчество | 1 E | patronyme |
| о́фис | 4 Г | bureau |
| офице́р | 9 B | officier |
| официа́льный | 7 E | officiel |
| официа́нт | 11 Б | serveur |
| официа́нтка | 11 E | serveuse |
| охарактеризова́ть (Pf, 2) | 10 B | caractériser |
| оце́нка (G pl. оце́нок) | 2 E | note |
| ошиба́ться (Ipf, 2) | 12 E | se tromper |
| ошиби́ться (Pf, ошибу́сь, ошибёшься, ошибу́тся) | 12 E | se tromper |
| оши́бка (G pl. оши́бок) | 3 Б | erreur |

## П

| | | |
|---|---|---|
| па́дать (Ipf, 2) | 11 Г | tomber |
| паке́т | 7 Б | paquet |
| па́мятник | 5 A | monument, statue |
| панк | 6 B | punk |
| парикма́хер | 1 B | coiffeur |
| парикма́херша | 4 Д | coiffeuse |
| парохо́д | 14 B | bateau |
| па́ртия | 10 B | parti |
| па́ртия | 7 B | partie |
| пассажи́р | 1 B | passager |
| па́сха | 7 E | Pâques |
| педаго́г | 2 B | pédagogue, professeur |
| пейза́ж | 9 A | paysage |
| пельме́ни | 11 Б | pelmenis (raviolis russes) |

| | | |
|---|---|---|
| пенсионе́р(ка) | 12 Б | retraité(e) |
| пе́нсия | 3 В | pension, retraite |
| передава́ть (Ipf, передаю́, передаёшь, передаю́т) | 7 А | transmettre |
| перево́дчик | 4 Д | traducteur |
| пе́ред (+ I) | 2 А | devant |
| пе́ред (+ I) | 4 В | avant |
| переда́ть (Pf, переда́м, переда́шь, переда́ст, передади́м, передади́те, передаду́т) | 7 А | transmettre |
| переда́ча | 8 В | émission |
| переду́мать (Pf, 2) | 12 Г | changer d'avis |
| переду́мывать (Ipf, 2) | 12 Г | changer d'avis |
| перее́зд | 9 В | déménagement |
| переезжа́ть (Ipf, 2) | 4 В | déménager |
| перее́хать (Pf, перее́ду, перее́дешь, перее́дут) | 4 В | déménager |
| переса́дка | 13 А | changement, correspondance |
| переса́дочный | 13 А | de correspondance |
| переса́живаться (Ipf, 2) | 13 А | changer, prendre une correspondance |
| пересе́сть (Pf, переся́ду, переся́дешь, переся́дут) | 13 А | changer, prendre une correspondance |
| переска́з | 7 Г | reformulation, résumé |
| пересказа́ть (Pf, перескажу́, переска́жешь,переска́жут) | 9 В | reformuler |
| переска́зывать (Ipf, 2) | 9 В | reformuler |
| перспекти́ва | 6 В | perspective |
| переспра́шивать (Ipf, 2) | 1 В | demander à nouveau redemander |
| переспроси́ть (Pf, 1) | 1 В | demander à nouveau redemander |
| пери́од | 9 В | période |
| пе́рсик | 14 В | pêche |
| перспекти́вный | 8 А | prometteur |
| пе́сня | 6 Г | chanson |
| петь (Ipf, пою́, поёшь, пою́т) | 6 Г | chanter |
| пешехо́дный | 13 Е | piéton, de piétons |
| пи́во | 6 В | bière |
| пижа́ма | 8 В | pyjama |
| пило́т | 1 Г | pilote |
| пионе́р | 13 Г | pionnier |
| писа́тель(ница) | 8 В | écrivain |
| пла́вание | 9 Д | natation |
| пла́вать (Indét, 2 ) | 7 В | naviguer, nager |
| пла́вки (pl. G пла́вок) | 8 Е | slip de bain |
| плака́т | 10 Е | affiche |
| пла́кать (Ipf, пла́чу, пла́чешь, пла́чут) | 13 В | pleurer |
| плани́ровать (Ipf, 2) | 4 Д | planifier |
| плати́ть (Ipf, 1) | 11 В | payer |
| пла́тье | 8 Г | robe |
| плацка́ртный | 1 В | avec couchettes sans compartiments |
| плач | 9 Г | pleurs |
| плащ | 3 Г | imperméable |

| | | |
|---|---|---|
| племя́нник | 3 Г | neveu |
| племя́нница | 3 Г | nièce |
| плита́ | 4 В | plaque de cuisson, cuisinière |
| пломби́р | 11 Д | plombières (glace) |
| площа́дка | 10 Д | place, terrain |
| пло́щадь (f.) | 11 А | superficie |
| пло́щадь (f.) | 5 А | place |
| плыть (dét, плыву́, плывёшь, плыву́т) | 7 В | naviguer, nager |
| плюс | 13 Б | plus |
| побе́да | 7 Е | victoire |
| победи́ть (Pf, 1) | 6 Б | vaincre |
| побежа́ть (Pf, побегу́, побежи́шь, побегу́т) | 8 А | courir, se mettre àcourir |
| побежда́ть (Ipf, 2) | 11 В | vaincre |
| побеспоко́ить (Pf, 1) | 13 Е | déranger |
| по-ва́шему | 2 В | à votre avis |
| повезти́ (Pf, повезу́, повезёшь, повезу́т) | 5 Б | mener, transporter |
| пове́рить (Pf, 1 + D) | 11 Г | croire |
| поверну́ть (Pf, поверну́, повернёшь, поверну́т) | 10 Б | tourner |
| повести́ (Pf. поведу́, поведёшь, поведу́т) | 3 Г | mener (à pied) |
| по́весть (f.) | 9 В | nouvelle |
| поводо́к | 3 Д | laisse |
| повора́чивать (Ipf, 2) | 10 Б | tourner |
| погиба́ть (Ipf, 2) | 13 В | mourir, périr |
| поги́бнуть (Pf, поги́бну, поги́бнешь, поги́бнут) | 13 В | mourir, périr |
| по-голла́ндски | 7 В | en hollandais |
| под (+ I) | 9 В | près de |
| подари́ть (Pf, 1) | 5 В | offrir |
| поднима́ться (Ipf, 2) | 13 Г | monter |
| подня́ться (Pf, поднму́сь, подни́мешься, подни́мутся) | 13 Г | monter |
| подойти́ (Pf, подойду́, подойдёшь, подойду́т) | 10 Б | approcher (à pied) |
| по-дома́шнему | 11 Б | comme à la maison |
| по-друго́му | 8 Г | autrement |
| подружи́ться (Pf, 1) | 7 Б | devenir ami(s) |
| подходи́ть (Ipf, 1) | 10 Б | approcher (à pied) |
| по́езд (N pl. поезда́) | 1 А | train |
| пое́здка | 13 Д | voyage |
| пожела́ть (Pf, 2, + G) | 7 Г | souhaiter |
| пожива́ть (Ipf, 2) | 3 Е | aller, se porter |
| позва́ть (Pf, позову́, позовёшь, позову́т) | 13 Б | appeler |
| поздрави́тельный | 7 Г | de vœu(x) |
| поздра́вить (Pf, 1) | 7 Г | féliciter, souhaiter |
| поздравле́ние | 9 Д | congratulation |
| поздравля́ть (Ipf, 2) | 7 Г | féliciter, souhaiter |
| познако́мить (Pf, 1) | 2 Г | présenter |
| познако́миться (Pf, 1) | 1 Г | faire connaissance |
| пока́ | 13 Г | pendant que |
| пока́ | 4 Г | à bientôt, à tout à l'heure |
| пока́з | 8 Б | présentation |

| Russe | Réf. | Français |
|---|---|---|
| показа́ться (Pf, пока́жется, пока́жутся) | 2 В | sembler |
| поко́нчить (Pf, 1) | 10 В | finir |
| покупа́тель | 11 Д | acheteur |
| покупа́ться (Ipf, 2) | 10 Г | s'acheter |
| пол | 11 Г | sol |
| по́ле | 10 Е | champ |
| полете́ть (Pf, 1) | 10 А | s'envoler |
| поли́тика | 2 Г | politique |
| полити́ческий | 9 В | politique |
| по́лка (G pl. по́лок) | 1 В | couchette; étagère |
| полови́на | 12 В | moitié |
| положи́ть (Pf, 1) | 3 А | poser (à plat, à l'horizontale) |
| получа́ть (Ipf, 2) | 5 В | recevoir |
| получи́ть (Pf, 1) | 5 В | recevoir |
| поме́щик | 5 В | propriétaire terrien |
| по́мнить (Ipf, 1) | 3 В | se rappeler, se souvenir |
| помога́ть (Ipf, 2, + D) | 2 В | aider |
| по-мо́ему | 2 В | à mon avis |
| помо́чь (Pf, помогу́, помо́жешь, помо́гут, + D) | 2 В | aider |
| понести́ (Pf, понесу́, понесёшь, понесу́т) | 3 А | porter |
| поня́ть (Pf, пойму́, поймёшь, пойму́т) | 4 В | comprendre |
| пообща́ться (Pf, 2) | 2 Г | communiquer |
| по-одному́ | 12 Е | un par un |
| попа́сть (Pf, попаду́, попадёшь, попаду́т) | 13 Е | se trouver, tomber |
| попроси́ть (Pf, 1) | 12 Г | demander |
| популя́рный | 8 В | populaire |
| пора́ | 10 Б | il est temps de |
| поража́ть (Ipf, 2) | 14 В | frapper |
| порази́ть (Pf, 1) | 14 В | frapper |
| порекомендова́ть (Pf, 2) | 11 Е | recommander |
| порт | 1 В | port |
| портре́т | 9 Г | portrait |
| по́рция | 11 Б | portion |
| посла́ть (Pf, пошлю́, пошлёшь, пошлю́т) | 7 Б | envoyer |
| после́дний | 7 А | dernier |
| послеза́втра | 4 Е | après-demain |
| поспо́рить (Pf, 1) | 7 В | discuter |
| поста́вить (Pf, 1) | 3 А | poser (debout, à la verticale) |
| постро́ить (Pf, 1) | 4 Г | construire |
| поступа́ть (Ipf, 2) | 9 В | entrer (dans un établissement d'enseignement), intégrer |
| поступи́ть (Pf, 1) | 9 В | entrer (dans un établissement d'enseignement), intégrer |
| поступле́ние | 9 В | entrée |
| посыла́ть (Ipf, 2) | 7 А | envoyer |
| по-тата́рски | 11 Б | en tatare, à la tatare |
| похо́д | 2 Г | excursion, randonnée |
| похо́ж | 13 В | ressemblant |
| почтальо́н | 3 Б | facteur |
| почта́мпт | 3 В | poste |
| почти́ | 6 В | presque |
| почто́вый я́щик | 3 Б | boîte à lettres |
| почу́вствовать (себя́) (Pf, 2) | 11 Г | (se) sentir |
| поэ́зия | 6 Е | poésie |
| поэ́т | 9 Б | poète |
| поэти́ческий | 9 Б | poétique |
| поэ́тому | 12 Б | c'est pourquoi |
| прабабушка | 4 Б | arrière grand-mère |
| прав | 12 Б | qui a raison |
| пра́вильный | 8 Б | exact, juste |
| пра́во | 5 В | droit |
| правосла́вие | 11 А | orthodoxie |
| правосла́вный | 7 В | othodoxe |
| пра́здничный | 3 А | de fête |
| пра́здновать (Ipf, 2) | 7 Е | fêter |
| пре́дки (pl. G пре́дков) | 5 Б | ancêtres |
| предлага́ть (Ipf, 2) | 6 Б | proposer |
| предло́г | 11 В | préposition |
| предложи́ть (Pf, 1) | 6 Б | proposer |
| предме́т | 9 Б | objet |
| предпоче́сть (Pf, предпочту́, предпочтёшь, предпочту́т) | 6 В | préférer |
| предпочита́ть (Ipf, 2 ) | 6 В | préférer |
| предста́виться (Pf, 1) | 1 Е | se présenter |
| представля́ться (Ipf, 2) | 1 Е | se présenter |
| прекра́сно | 5 В | très bien, merveilleusement |
| прекра́сный | 12 Б | (très) beau |
| пре́мия | 8 В | prix |
| преподава́тельница | 4 Д | professeur (femme) |
| пресс-конфере́нция | 1 Б | conférence de presse |
| при (+ L) | 5 В | sous, du temps de |
| прибы́тие | 13 Д | arrivée |
| приватизи́ровать (Ipf et Pf, 2) | 10 Г | privatiser |
| привезти́ (Pf, привезу́, привезёшь, привезу́т, passé привёз, привезла́, привезло́, привезли́) | 13 В | amener, apporter (moyen de transport) |
| привилегиро́ванный | 4 В | privilégié |
| привози́ть (Ipf, 1) | 13 В | amener, apporter (moyen de transport) |
| пригласи́ть (Pf, 1) | 6 В | inviter |
| приглаша́ть (Ipf, 2) | 6 В | inviter |
| приглаше́ние | 14 Д | invitation |
| пригото́вить (Pf, 1) | 6 Б | préparer |
| приду́мать (Pf, 2) | 6 Е | inventer |
| приду́мывать (Ipf, 2) | 6 Е | inventer |
| приезжа́ть (Ipf, 2) | 1 Г | arriver, venir (en moyen de transport) |
| прие́хать (Pf, прие́ду, прие́дешь, прие́дут) | 1 Г | arriver, venir (en moyen de transport) |
| прийти́ (Pf, приду́, придёшь, приду́т) | 1 Б | arriver, venir (à pied) |
| приказа́ть (Pf, прикажу́, прика́жешь, прика́жут) | 11 В | ordonner |
| прика́зывать (Ipf, 2) | 11 В | ordonner |

| | | |
|---|---|---|
| приме́та | 11 Г | signe |
| принадлежа́ть (Ipf, 1, + D) | 5 В | appartenir |
| принести́ (Pf, принесу́, принесёшь, принесу́т, passé принёс, принесла́, принесли́) | 3 А | apporter |
| принима́ть (Ipf, 2) | 10 В | prendre, recevoir |
| приноси́ть (Ipf, 1) | 3 А | apporter |
| при́нтер | 2 Б | imprimante |
| приня́ть (Pf, приму́, при́мешь, при́мут) | 10 В | prendre, recevoir |
| приро́да | 9 А | nature |
| приходи́ть (Ipf,1) | 1 Б | arriver, venir (à pied) |
| прия́тель (m.) | 3 Г | ami |
| прия́тно | 10 Е | (c'est) agréable, agréablement |
| прия́тно (о́чень) | 1 Е | enchanté(e) |
| пробле́ма | 3 Б | problème |
| провока́ция | 10 В | provocation |
| провоци́ровать (Ipf, 2) | 9 В | provoquer |
| прогу́лка | 8 В | promenade |
| продава́ть (Ipf, продаю́, продаёшь, продаю́т) | 5 В | vendre |
| продава́ться (Ipf, продаю́сь, продаёшься, продаю́тся) | 8 Г | se vendre |
| продаве́ц | 11 Е | vendeur |
| продавщи́ца | 8 Г | vendeuse |
| прода́ть (Pf, прода́м, прода́шь, прода́ст, продади́м, продади́те, продаду́т) | 5 В | vendre |
| продолжа́ть (Ipf, 2) | 1 Г | continuer, poursuivre |
| продолже́ние | 9 В | suite |
| прое́кт | 4 Г | projet |
| проигра́ть (Pf, 2) | 5 В | perdre (au jeu) |
| прои́грывать (Ipf, 2) | 5 В | perdre (au jeu) |
| произойти́ (Pf, произойдёт, произойду́т) | 4 В | avoir lieu, se produire |
| пройти́ (Pf, пройду́, пройдёшь, пройду́т) | 5 Г | passer, se passer |
| пролета́рий | 10 Г | prolétaire |
| проника́ть (Ipf, 2) | 14 В | pénétrer |
| прони́кнуть (Pf, 3) | 14 В | pénétrer |
| пропага́нда | 10 В | propagande |
| пропу́щенный | 3 Е | supprimé, manquant |
| проси́ть (Ipf, 1) | 12 Г | demander |
| просну́ться (Pf, 3) | 14 Б | se réveiller |
| прости́ть (Pf, прощу́, прости́шь, простя́т) | 3 Б | pardonner |
| про́сто | 1 Д | simplement |
| просто́й | 7 В | simple |
| просыпа́ться (Ipf, 2) | 14 Б | se réveiller |
| профе́ссор (N pl. профессора́) | 4 В | professeur (d'université) |
| профе́ссорский | 4 Б | de professeur d'université |
| прохла́дный | 10 Е | frais |
| проходи́ть (Ipf, 1) | 5 Г | passer, se passer |
| проце́нт | 11 А | pourcentage |

| | | |
|---|---|---|
| про́шлое | 9 Б | passé |
| про́шлый | 2 Б | dernier, passé |
| проща́ть (Ipf, 2) | 3 Б | pardonner |
| пря́тать (Ipf, пря́чу, пря́чешь, пря́чут) | 9 Г | cacher |
| пря́таться (Ipf, пря́чусь, пря́чешься, пря́чутся) | 13 Г | se cacher |
| псевдони́м | 4 В | pseudonyme |
| психо́лог | 2 В | psychologue |
| психоло́гия | 2 Г | psychologie |
| пти́ца | 10 Е | oiseau |
| пункт | 1 В | point |
| пусть | 2 Г | que (souhait) |
| путеше́ствие | 1 Г | voyage |
| путь (m.) | 1 Б | chemin, route, voyage |
| пуши́стый | 14 В | duveteux |
| пятёрка | 2 Е | cinq (note scolaire) |

**Р**

| | | |
|---|---|---|
| рабо́чий | 4 В | ouvrier |
| ра́вный | 10 В | égal |
| рад | 1 Е | content, heureux |
| ра́дость (f.) | 10 А | joie |
| раз (G pl. раз) | 8 Б | fois |
| разбуди́ть (Pf, 1) | 14 Б | réveiller |
| разгово́р | 9 Б | conversation |
| разме́р | 11 Е | taille |
| разнести́ (Pf, разнесу́, разнесёшь, разнесу́т) | 3 В | distribuer |
| разноси́ть (Ipf, 1) | 3 В | distribuer |
| ра́зный | 2 В | différent |
| разреша́ть (Ipf, 2) | 9 В | permettre |
| разреше́ние | 5 В | permission |
| разреши́ть (Pf, 1) | 9 В | permettre |
| разруша́ть (Ipf, 2) | 11 В | détruire |
| разру́шить (Pf, 1) | 11 В | détruire |
| разыгра́ть (Pf, 2) | 12 Е | jouer |
| разы́грывать (Ipf, 2) | 12 Е | jouer |
| райо́н | 3 В | quartier |
| ра́но | 6 А | tôt |
| расписа́ние | 1 В | horaire |
| расска́з | 11 Е | récit |
| рассма́тривать (Ipf, 2) | 12 Б | examiner |
| рассмотре́ть (Pf, 1) | 12 Б | examiner |
| реаги́ровать (Ipf, 2) | 10 Г | réagir |
| реа́кция | 4 Д | réaction |
| реали́зм | 10 В | réalisme |
| реализова́ть (Ipf et Pf, 2) | 10 В | réaliser |
| револю́ция | 4 Б | révolution |
| ре́гби | 9 Д | rugby |
| ре́гге | 6 Е | reggae |
| регио́н | 12 В | région |
| реда́кция | 1 Б | rédaction |
| ре́дко | 13 В | rarement |
| режи́м | 10 В | régime |
| резиде́нция | 7 А | résidence |
| рекомендова́ть (Ipf, 2) | 11 Е | recommander |
| религио́зный | 10 В | religieux |

| | | |
|---|---|---|
| рели́гия | 8 B | religion |
| ре́плика | 12 E | réplique |
| репре́ссия | 4 B | répression |
| репроду́кция | 10 B | reproduction |
| респу́блика | 9 Б | république |
| реставра́тор | 7 Б | restaurateur, restauratrice |
| реставра́ция | 10 Г | restauration |
| реставри́ровать (Ipf et Pf, 2) | 10 Г | restaurer |
| ресу́рс | 11 A | ressource |
| речь (f.) | 9 Б | discours |
| реша́ть (Ipf, 2) | 7 B | décider |
| реши́ть (Pf, 1) | 7 B | décider |
| риск | 12 B | risque |
| рису́нок | 10 E | dessin |
| ритуа́л | 10 B | rituel |
| роди́ть (Pf, 1) | 10 B | mettre au monde |
| роди́ться (Pf, 1) | 4 A | naître |
| родно́й | 2 E | de naissance, natal, maternel |
| ро́дственник | 13 B | parent |
| рожа́ть (Ipf, 2) | 10 B | mettre au monde |
| рожда́ться (Ipf, 2) | 4 A | naître |
| рожде́ние | 1 E | naissance |
| рождество́ | 7 E | Noël |
| ро́зовый | 8 E | rose |
| рок | 6 B | rock |
| ролево́й | 6 E | de rôles |
| ро́ллеры | 6 E | rollers |
| роль (f.) | 5 B | rôle |
| романти́зм | 10 B | romantisme |
| ром-ба́ба | 11 Д | baba au rhum |
| россия́нин (N pl. россия́не G pl. россия́н) | 12 B | Russe (citoyen russe) |
| рот | 8 A | bouche |
| руба́шка | 8 B | chemise |
| рубль (m.) | 8 Г | rouble |
| рэп | 6 B | rap |
| ря́дом с (+ I) | 3 A | à côté de |

## C

| | | |
|---|---|---|
| с (+ G) | 1 B | de |
| с (+ G) по (+ A) | 5 B | de... à... |
| сад | 10 E | jardin |
| садо́вый | 14 B | de jardin |
| сало́н | 2 Г | salon |
| салфе́тка (G pl. салфе́ток) | 3 A | serviette |
| сам | 10 B | moi-même, toi-même, lui-même |
| са́мый | 8 Б | le plus |
| сапоги́ (G pl. сапо́г) | 8 E | bottes |
| са́уна | 6 B | sauna |
| сбор | 13 Д | rassemblement |
| сбро́сить | 10 B | jeter, précipiter |
| све́жий | 11 Б | frais |
| сверка́ть (Ipf, 2) | 14 B | briller |
| све́рху | 13 Г | du haut, du sommet |
| свет | 10 E | lumière |

| | | |
|---|---|---|
| све́тлый | 8 A | clair |
| свинья́ (G pl. свине́й) | 8 E | cochon, porc |
| сви́тер | 8 E | pull-over, chandail |
| свобо́да | 5 B | liberté |
| свобо́дно | 5 B | librement |
| свобо́дный | 5 B | libre |
| свободолюби́вый | 9 B | épris de liberté |
| свято́й | 7 E | saint |
| себя́ | 3 Г | soi-même |
| се́вер | 7 B | nord |
| секрета́рь (m.) | 4 Д | secrétaire (homme) |
| секу́нда | 1 Д | seconde |
| се́кция | 2 B | section |
| село́ (N pl. сёла) | 11 B | village, bourg |
| семе́йный | 9 B | de famille |
| се́рдце | 9 Б | cœur |
| сертифика́т | 12 Б | certificat |
| се́рый | 8 E | gris |
| серьёзный | 12 E | sérieux |
| сиби́рский | 2 Б | sibérien, de Sibérie |
| сидя́чий | 1 B | assis |
| си́зый | 14 B | bleu violacé |
| си́ла | 9 Д | force |
| си́льный | 2 B | fort |
| си́мвол | 10 E | symbole |
| симпати́чный | 2 Г | sympathique |
| симпа́тия | 9 B | sympathie |
| си́ний | 8 Г | bleu foncé |
| сире́невый | 14 B | couleur lilas |
| систе́ма | 4 Д | système |
| сканда́л | 9 B | scandale |
| ска́нер | 2 Б | scanner |
| скейтбо́рд | 6 E | skateboard |
| ско́ро | 5 Б | bientôt |
| ску́ка | 12 A | ennui |
| скульпту́ра | 9 Д | sculpture |
| скуча́ть (Ipf, 2) | 2 B | s'ennuyer |
| сла́бый | 2 B | faible |
| славя́нский | 3 B | slave |
| сле́дующий | 13 E | suivant |
| сли́ва | 14 B | prune |
| сли́шком | 8 E | trop |
| слова́рь (m.) | 1 Д | dictionnaire, lexique |
| случи́ться (Pf, 1) | 12 Г | se passer, avoir lieu |
| слы́шен | 2 Б | est entendu |
| смерть (f.) | 5 E | mort |
| смешно́ | 4 Б | d'une manière drôle, comique |
| смея́ться (Ipf, 2) | 10 Г | rire |
| смо́кинг | 8 B | smoking |
| смочь (Pf, смогу́, смо́жешь, смо́гут, passé смог, смогла́, смогло́, смогли́) | 4 Г | pouvoir |
| смысл | 7 B | sens |
| снача́ла | 7 B | d'abord |
| снег | 10 Б | neige |
| сне́жный | 9 Г | de neige |
| сно́ва | 11 B | de nouveau |

| | | |
|---|---|---|
| сноубо́рд | 6 Е | snowboard, monoski |
| собира́ть (Ipf, 2) | 11 В | rassembler, réunir |
| собира́ться (Ipf, 2) | 13 Б | se rassembler |
| собо́р | 3 В | cathédrale |
| собра́ть (Pf, соберу́, соберёшь, соберу́т) | 11 В | rassembler, réunir |
| собра́ться (Pf, соберу́сь, соберёшься, соберу́тся) | 13 Б | (ici) s'apprêter à |
| собы́тие | 5 Е | événement |
| соверша́ть (Ipf, 2) | 9 Д | faire, accomplir |
| соверше́нно | 13 В | tout à fait |
| соверши́ть (Pf, 1) | 9 Д | faire, accomplir |
| сове́тский | 7 В | soviétique |
| совреме́нность (f.) | 10 В | modernité |
| совреме́нный | 10 В | contemporain, moderne |
| согла́сен | 6 В | d'accord |
| со́лнечный | 9 Б | ensoleillé |
| со́лнце | 9 А | soleil |
| со́лнышко | 14 А | soleil |
| сон | 14 В | sommeil, rêve (endormi) |
| сосе́д (N pl. сосе́ди) | 3 Б | voisin |
| сосла́ть (Pf, сошлю́, сошлёшь, сошлю́т) | 9 В | exiler, envoyer en exil |
| соста́вить (Pf, 1) | 1 Е | composer |
| составля́ть (Ipf, 2) | 1 Е | composer |
| со́ус | 6 Б | sauce |
| социа́льный | 8 В | social |
| социо́лог | 4 Д | sociologue |
| спа́льный | 1 В | wagon-lit |
| спа́льня | 10 Б | chambre |
| специали́ст | 7 В | spécialiste |
| специа́льный | 7 В | spécial |
| спина́ | 8 А | dos |
| споко́йный | 7 Е | tranquille |
| спо́рить (Ipf, 1) | 12 Е | discuter |
| спорти́вный | 2 В | sportif |
| спра́вка | 5 Г | notice |
| спря́тать (Pf, спря́чу, спря́чешь, спря́чут) | 9 Г | cacher |
| спря́таться (Pf, спря́чусь, спря́чешься, спря́чутся) | 13 Г | se cacher |
| спуска́ться (Ipf, 2) | 13 Г | descendre |
| спусти́ться (Pf, 1) | 13 Г | descendre |
| сра́зу | 6 Г | tout de suite |
| среди́ (+G) | 12 В | parmi |
| сре́дне | 2 Е | moyennement |
| сро́чно | 14 Б | d'urgence |
| ссыла́ть (Ipf, 2) | 9 В | envoyer en exil, exiler |
| ссы́лка | 9 В | exil |
| стра́шный | 7 В | effrayant, terrible |
| ста́вить (Ipf, 1) | 3 А | poser (debout, à la verticale) |
| стажиро́вка | 7 Б | stage |
| стака́н | 3 А | verre |
| станови́ться (Ipf, 1) | 5 В | devenir |
| ста́нция | 1 В | gare, station, arrêt |

| | | |
|---|---|---|
| старомо́дный | 8 Е | démodé |
| ста́рость (f.) | 5 Г | vieillesse |
| ста́рший | 7 В | aîné |
| стать (Pf, ста́ну, ста́нешь, ста́нут) | 5 В | devenir |
| стать (Pf, ста́ну, ста́нешь, ста́нут) | 14 Г | se mettre à |
| степно́й | 14 В | de la steppe |
| стиль (m.) | 6 В | style |
| стих | 9 А | vers |
| сто́ить (Ipf, 1) | 8 Г | coûter |
| столи́ца | 1 А | capitale |
| столо́вая | 2 А | salle à manger, réfectoire |
| сто́лько | 13 Г | autant |
| стоя́нка | 1 В | arrêt, station |
| страх | 12 А | peur |
| стра́шный | 11 В | effrayant, terrible |
| стро́ить (Ipf, 1) | 4 Г | construire |
| студе́нческий | 2 А | étudiant |
| сувени́рный | 13 Д | de souvenir |
| сул | 6 Е | *soul* |
| су́пер | 6 Б | super |
| сце́на | 10 Е | scène |
| сценари́ст(ка) | 8 В | scénariste |
| счастли́во | 7 Е | bonne chance, bon courage |
| сча́стье | 7 Г | bonheur |
| счёт | 11 Г | compte, addition |
| счита́ть (Ipf, 2) | 12 В | considérer, penser |
| съе́здить (Pf, 1) | 13 Б | aller (moyen de transport) |
| сюже́т | 10 Е | sujet |
| сюрпри́з | 1 Б | surprise |

**Т**

| | | |
|---|---|---|
| таба́к | 7 В | tabac |
| табле́тка | 11 Г | cachet |
| таве́рна | 7 В | taverne |
| таи́нственный | 14 В | mystérieux |
| тайни́к | 9 Г | cachette |
| та́кже | 7 В | aussi, également |
| тала́нтливый | 13 В | talentueux |
| та́лия | 8 Г | taille |
| танцева́ть (Ipf, 2) | 5 Г | danser |
| таре́лка (G pl. таре́лок) | 3 А | assiette |
| тата́рский | 11 А | tatare |
| тата́ры | 11 В | Tatares |
| тащи́ть (Ipf, 1) | 14 В | traîner |
| театра́л | 3 Г | amateur de théâtre |
| театра́льный | 2 Г | théâtral |
| телегра́мма | 3 В | télégramme |
| теле́жка | 14 В | chariot |
| телекана́л | 8 В | chaîne de télévision |
| телефо́нный | 14 Б | téléphonique |
| те́ло | 8 А | corps |
| те́ма | 2 Е | thème, sujet |
| темнота́ | 10 Б | obscurité |

| Russe | Réf. | Français |
|---|---|---|
| тёмный | 8 А | foncé, sombre |
| тео́рия | 13 В | théorie |
| тепе́рь | 1 Б | maintenant |
| тепло́ | 10 Е | (il fait) chaud |
| тёплый | 10 Е | chaud |
| терро́р | 4 В | terreur |
| те́хника | 2 Б | (ici) matériel |
| те́хно | 6 Е | *techno* |
| технологи́ческий | 13 Е | technologique |
| тигр | 8 Б | tigre |
| типи́чно | 14 Г | typiquement |
| това́р | 12 Д | produit, marchandise |
| тогда́ | 5 А | alors, à ce moment-là |
| ток-шо́у | 8 В | talk-shaw, débat |
| то́лько что | 14 Б | tout juste |
| тон | 8 Г | ton |
| то́ненький | 14 В | mince, fin |
| то́нкий | 14 В | mince, fin |
| торго́вец | 14 В | marchand, commerçant |
| торго́вый | 3 В | commercial |
| тост | 7 Г | toast |
| тради́ция | 4 Д | tradition |
| тра́нспорт | 12 Е | transport |
| транссиби́рский | 1 Б | transsibérien |
| трансфе́р | 13 Д | transfert |
| тренажёрный | 2 В | de musculation |
| три́ллер | 6 Е | thriller |
| тро́е | 5 Е | trois |
| тро́йка | 2 Е | trois (note scolaire) |
| тро́йка | 9 Б | troïka, attelage de trois chevaux |
| тру́бка | 13 Б | combiné (du télé-phone), téléphone |
| труд | 7 Е | travail |
| тру́дный | 8 В | difficile |
| туале́т | 2 А | toilettes |
| тума́н | 9 Г | brouillard |
| туне́ц | 11 Б | thon |
| тысячеле́тие | 11 В | millénaire |
| тяжело́ | 5 В | durement, péniblement |
| тяжёлый | 3 В | lourd, pénible |

**У**

| Russe | Réf. | Français |
|---|---|---|
| убива́ть (Ipf, 2 ) | 9 В | tuer |
| уби́ть (Pf, убью́, убьёшь, убью́т) | 9 В | tuer |
| уважа́емый | 3 Е | respecté |
| уваже́ние | 3 Е | respect |
| уви́деться (Pf, 1) | 4 Г | se voir |
| увлека́ться (Ipf, 2, + I) | 2 Г | se passionner |
| удержа́ть (Pf, 1) | 13 В | retenir, garder |
| уде́рживать (Ipf, 2) | 13 В | retenir, garder |
| удиви́тельный | 7 В | étonnant |
| удиви́ть (Pf, 1) | 7 Г | étonner |
| удиви́ться (Pf, 1, + D) | 7 Г | s'étonner |
| удивле́ние | 9 Д | étonnement |
| удивля́ть (Ipf, 2) | 7 Г | étonner |
| удивля́ться (Ipf, 2, + D) | 7 Г | s'étonner |
| уезжа́ть (Ipf, 2) | 1 Г | s'en aller, partir (en véhicule) |
| уе́хать (Pf, уе́ду, уе́дешь, уе́дут) | 1 Г | s'en aller, partir (en véhicule) |
| у́зкий | 8 Г | étroit |
| узнава́ть (Ipf, узнаю́, узнаёшь, узнаю́т) | 7 Б | apprendre |
| узна́ть (Pf, узна́ю, узна́ешь, узна́ют) | 7 Б | apprendre |
| уйти́ (Pf, уйду́, уйдёшь, уйду́т) | 1 Б | s'en aller, partir (à pied) |
| у́личный | 14 В | de rue |
| улыба́ться (Ipf, 2 ) | 7 Б | sourire |
| улы́бка | 9 Г | sourire |
| умере́ть (Pf, умру́, умрёшь, умру́т) | 4 А | mourir |
| уме́ть (Ipf, 2) | 3 Б | savoir (faire) |
| умира́ть (Ipf, 2) | 4 А | mourir |
| у́мный | 7 В | intelligent |
| умыва́ться (Ipf, 2) | 6 А | se laver |
| умы́ться (Pf, умо́юсь, умо́ешься, умо́ются) | 6 А | se laver |
| уничтожа́ть (Ipf, 2) | 13 В | détruire |
| уничтожа́ться (Ipf, 2) | 13 В | être détruit |
| уничто́жить (Pf, 1) | 13 В | détruire |
| уничто́житься (Pf, 1) | 13 В | être détruit |
| упа́сть (Pf, упаду́, упадёшь, упаду́т) | 11 Г | tomber |
| уса́дьба (G pl. уса́деб) | 5 Б | domaine |
| уссури́йский | 8 Б | de l'Oussouri |
| уста́лый | 14 Б | fatigué |
| уходи́ть (Ipf,1) | 1 Б | s'en aller, partir (à pied) |
| учёба | 1 Е | études |
| уче́бный | 2 В | d'études, scolaire |
| учёный | 9 Б | savant, chercheur |
| у́ши (pl.) | 6 Г | oreilles |

**Ф**

| Russe | Réf. | Français |
|---|---|---|
| фа́брика | 4 Д | fabrique |
| фанк | 6 Е | *funk* |
| фа́нтази | 6 Е | fantasy |
| фанта́стика | 6 Е | fantastique |
| фаса́д | 3 В | façade |
| федера́ция | 7 Е | fédération |
| фигу́ра | 10 Б | personnage, silhouette |
| фигурати́вный | 10 В | figuratif |
| фи́зик | 4 Д | physicien |
| филатели́ст | 2 Г | philatéliste |
| филатели́я | 2 Г | philatélie |
| фило́соф | 4 Д | philosophe |
| фина́нсы | 7 В | finances |
| финля́ндский | 7 А | finlandais, de Finlande |
| фиоле́товый | 8 Е | violet |
| фи́рма | 4 Г | firme, entreprise |
| фла́ер | 6 В | *flyer* |
| фолькло́рный | 13 Д | folklorique |
| фон | 10 А | fond |

| фонтáн | 14 В | fontaine |
|---|---|---|
| фóрма | 10 В | forme |
| формировáть (Ipf, 2) | 4 Д | former |
| формировáть(ся) (Ipf, 2) | 10 В | (se) former |
| формули́ровать (Ipf et Pf, 2) | 9 Б | formuler |
| фóрум | 2 Г | forum |
| францýженка | 2 Г | Française |
| фронт | 13 В | front |
| футбóлка | 8 Е | tee-shirt, maillot |
| футури́ст | 10 В | futuriste |

## Х

| харáктер | 2 Б | caractère |
|---|---|---|
| характеризовáть (Ipf, 2) | 10 В | caractériser |
| характери́стика | 13 В | caractéristique |
| хáус | 6 Е | *house* |
| хи́мик | 4 Д | chimiste |
| хóбби (n.) | 2 Г | passion |
| холл | 2 А | hall |
| холóдный | 3 Б | froid |
| хóром | 13 Д | en chœur |
| хотéться (Ipf, хóчется) | 2 Г | avoir envie de |
| хотя́ | 11 В | bien que |
| храм | 11 В | église |
| худóжник | 9 Г | peintre |
| хýже | 6 В | plus mal, pire |

## Ц

| цари́ца | 4 А | tsarine |
|---|---|---|
| цáрский | 7 В | du tsar |
| цáрство | 7 В | royaume |
| цáрствовать (Ipf, 2) | 4 А | régner |
| царь (m.) | 4 А | tsar |
| цвет (N pl. цветá) | 8 Г | couleur |
| цветнóй | 10 Е | en couleurs |
| целовáть (Ipf, 2) | 3 Е | embrasser |
| ценá | 6 В | prix |
| цифровóй | 2 Б | numérique |

## Ч

| чáйник | 10 Е | théière |
|---|---|---|
| час | 1 В | heure |
| часть (f.) | 13 Д | partie |
| человéчество | 13 В | humanité |
| чем | 8 В | que |
| чемодáн | 2 А | valise |
| чéрез (+ A) | 10 Б | à travers, par (+ complément de lieu) |
| чéрез (+ A) | 4 Г | dans (+ complément de temps), plus tard |
| чернобéлый | 10 Е | noir et blanc |
| четвёрка | 2 Е | quatre (note scolaire) |
| чи́стый | 6 Г | propre, pur |
| чтóбы | 11 В | pour que |
| чтóбы | 9 В | que |
| чтó-нибудь | 13 Б | quelque chose |
| чтó-то | 13 Б | quelque chose |

| чýвство | 10 А | sentiment |
|---|---|---|
| чýвствовать (себя́) (Ipf, 2) | 11 Г | (se) sentir |
| чудéсный | 14 В | merveilleux |
| чужóй | 13 В | étranger |
| чуть ли не | 12 Б | presque |

## Ш

| шаг | 2 Б | pas |
|---|---|---|
| шахмати́ст | 8 Б | joueur d'échecs |
| шáхматный | 2 В | d'échecs |
| шашлы́к | 6 Б | brochette |
| шеф | 1 Б | chef |
| широ́кий | 8 Г | large |
| шко́льник | 2 Г | écolier, élève |
| шко́льница | 2 Г | écolière, élève |
| шко́льный | 1 Е | d'école, scolaire |
| шля́па | 8 Е | chapeau |
| шоки́ровать (Ipf, 2) | 10 Г | choquer |
| шóрты (pl. G шорт) | 8 Е | short |
| шýмный | 10 Е | bruyant |

## Э

| эквивалéнтный | 4 В | équivalent |
|---|---|---|
| экономика | 2 Г | économie |
| экономи́ческий | 10 В | économique |
| экспеди́ция | 4 Д | expédition |
| эксперимéнт | 10 В | expérience |
| экспрéсс | 1 Б | train express |
| экспрессиони́зм | 14 Д | expressionnisme |
| элегáнтно | 8 В | élégamment |
| элегáнтный | 8 Е | élégant |
| элемéнт | 10 Е | élément |
| эмигрáнт | 9 В | émigré |
| эмигрáция | 4 Б | émigration |
| эмигри́ровать (Ipf et Pf, 2) | 4 В | émigrer |
| энерги́чный | 7 В | énergique |
| энтузиáзм | 10 В | enthousiasme |
| энциклопéдия | 2 Б | encyclopédie |
| эпигрáмма | 9 В | épigramme |
| эскалáтор | 13 А | escalator |
| этáж | 2 А | étage |
| этю́д | 9 Г | étude |

## Ю

| ю́бка | 8 В | jupe |
|---|---|---|
| юг | 7 В | sud |
| ю́жный | 9 В | du sud |
| ю́мор | 9 Д | humour |
| юмористи́ческий | 6 Г | humoristique |
| ю́ность (f.) | 14 Д | jeunesse |
| ю́ный | 14 Г | jeune |
| юри́ст | 4 Д | juriste |

## Я

| я́блоко | 14 В | pomme |
|---|---|---|
| я́лтинский | 14 В | de Yalta |
| я́щик | 14 В | boîte |

# lecture suivie

*Повесть* **«Курьер»** *была опубликована в 1982 году. Её автор, молодой кинорежиссёр* **Карен Шахназаров,** *получил за неё литературную премию. А в 1986 году он снял по этой повести фильм. Молодой человек, герой повести и фильма, хочет понять, что в жизни важно, а что нет. И его взгляд на жизнь часто не совпадает с общепринятыми нормами. Повесть и фильм «Курьер» показывают историю Ивана и то, как жили люди в советское время, как работали, о чём говорили и думали. Огромные перемены произошли в России с тех пор. Но таких Иванов можно встретить и сегодня: они удивляют нас и удивляются нашему удивлению.*

*Прочитав начало повести, вам, наверно, захочется узнать, что было дальше с её героем и какой образ дал ему Карен Шахназаров в своём фильме.*

Не так давно я случайно услышал одну интересную радиопередачу[1]. Корреспондент на улице задавал всем один и тот же вопрос: «Если бы вы писали мемуары, о чём вы хотели бы в них рассказать?» Ответы, конечно, были разными. Одни рассказывали целые истории, а другие какой-нибудь анекдот. Мне больше всего запомнился ответ одного старика. Сначала он сказал: «Мне нечего писать в мемуарах. У меня ничего не было». Корреспондент удивился и не поверил: «Не может быть! Вы человек в возрасте. Наверняка вы многое видели и сами пережили разные исторические события. Неужели в вашем прошлом нет ничего, что волновало бы вас сейчас!» Старик задумался и сказал: «Знаете, много-много лет назад я был влюблён в девушку. Мне тогда было пятнадцать лет, а ей, кажется, восемнадцать. Мы жили в одном доме и часто встречались в нашем дворе. Я всё время хотел заговорить с ней и познакомиться, но никак не решался... А потом она с семьёй уехала, и я больше никогда не видел её. Вот об этой девушке я и вспоминаю теперь больше всего. Об этом, пожалуй, я написал бы. Но разве это интересно кому-нибудь!» «Отчего же?! Очень интересно», – сказал корреспондент, но в голосе его пряталось разочарование[2].

Я проснулся ночью и почувствовал, что сегодня мне уже не заснуть. Знаете, бывает такое: совершенно нормальный, здоровый человек просыпается среди ночи и до утра не может заснуть. Лунный свет проникал через окно в комнату и освещал большую африканскую маску, которая висела на стене – подарок отца.

[...]

Мои родители развелись[3], когда мне было четырнадцать лет. До этого у нас была, что называется, идеальная семья. Родители – педагоги (отец преподавал химию, мать – историю), работали в одной школе, я там же учился. Не помню, чтобы между ними когда-нибудь были конфликты. Отец называл маму «умнейшей женщиной», она говорила, что он «очень добрый человек». Он был действительно добрым, но – это тоже мамины слова – «немного увлекающимся». Он увлекался футболом, хоккеем, коллекционированием шариковых ручек, кроссвордами, шахматами, рыболовством и, наконец, увлёкся новой учительницей пения, которая пришла в нашу школу сразу после окончания института. Это его последнее увлечение оказалось фатальным для нашей «идеальной» семьи. Полгода она ещё агонизировала, а потом скончалась. Её смерть констатировал нарсуд[4] Дзержинского района. [...] Когда бракоразводная процедура закончилась и мы вышли на улицу, мама с вежливой улыбкой попрощалась[5] с отцом за руку и объявила, что зайдёт в магазин, а потом подождёт меня у метро.

– Мне очень жаль[6], старина, что так получилось, – сказал отец, когда она ушла.

– Никаких проблем, папа, – сказал я.

– Надеюсь, мы будем видеться как можно чаще? – сказал он.

– Конечно, папа, – сказал я.

Кажется, он был доволен. В этот момент из-за угла вышла та самая учительница пения, из-за которой всё и случилось. Однако, увидев рядом с отцом меня, она остановилась не зная, что делать. Ей было не больше двадцати трёх лет, а, раскрасневшись от быстрой ходьбы и мороза, она выглядела ещё моложе. Высокая, длинноногая, с мягкими белокурыми волосами и голубыми глазами она мне нравилась, несмотря ни на что. Конечно, было жаль маму, но я мог понять и отца. Зная, что сделаю ему приятное, я сказал об этом.

– Девочка она, конечно, первоклассная, – сказал я о «певичке».

– Тебе, правда, нравится? – обрадовался он. – Давай познакомлю вас?! – И крикнул: – Наташа, Наташа, иди сюда!

Наташа, конфузясь, подошла. Отец представил меня:

– Мой сын Иван... А это Наташа...

Я улыбнулся и пожал ей руку.

– Очень приятно. Поздравляю, – сказал я. Наташа покраснела и смущённо заулыбалась.

– Спасибо, – тихо сказала она. – Фёдор... то есть ваш папа – много рассказывал о вас. Я очень рада...

– Представляю, что он наговорил обо мне, – усмехнулся я.

– Все нормально, старина, – в ответ засмеялся отец.

– Берегите[7] его: у него язва[8], – сказал я девушке.

– Ива-ан! – пробурчал отец.

– Что – Ива-ан?! Что здесь такого? Мама ему настойку из трав[9] делала. Если хотите, я могу потихоньку списать рецепт.

– Спасибо, – ответила Наташа. – Это было бы просто прекрасно.

– Ладно, мне пора, – сказал я отцу. Мы пожали друг другу руки.

– Приходите к нам, Иван, – проговорила Наташа. – Приходите обязательно...

– Обязательно приду, – ответил я и простился с ними. Я действительно приходил к ним потом, правда, не более двух или трёх раз, и принёс тот рецепт, о котором говорил Наташе. Однако чаще бывать у них мне было нельзя. Мама очень нервничала первые месяцы после развода и мои визиты к отцу ей не совсем нравились. Поэтому, посоветовавшись, мы с отцом даже решили вообще не встречаться какое-то время, чтобы дать ей успокоиться. Мне, конечно, было очень жалко маму, и я понимал, как ей нелегко, но мне казалось, что она немного драматизирует ситуацию. И ещё я вдруг открыл для себя неожиданный аспект этой истории. Так как она происходила на глазах всей школы, то педагоги, конечно, заняли в ней свои позиции. Большинство учителей поддерживало[10] мать (кроме учителя физкультуры, который решительно встал на сторону отца). Так вот, их симпатии к матери перешли и на меня, как на сына несчастной матери, от которой ушёл муж. В результате полугодие, в котором происходили эти события, я закончил на одни пятёрки.

Однако со временем всё стало забываться. Мало по малу мама успокоилась, отец с «певичкой» перешли в другую школу, а потом он вообще на несколько лет уехал работать в одну африканскую страну, и в моём дневнике своё обычное место опять заняли тройки.

Когда через два года я окончил школу, у меня не было никаких планов на будущее. Правда, или из-за матери, или из-за моего мечтательного характера я неплохо знал историю, особенно древнюю и средних веков. Поэтому мама долго уговаривала меня идти в педагогический институт на историческое отделение. Она сказала, что мальчики там в дефиците и у меня хорошие шансы поступить. Меня не очень увлекала перспектива стать учителем истории, но не хотелось спорить[11] с мамой. Она позвонила какому-то Эдуарду Николаевичу – он в своё время был дружен с моим отцом, а сейчас преподавал в пединституте и был в экзаменационной комиссии. Потом на экзамене я увидел его. Это был маленький лысоватый человек с лицом, которое, должно быть, помнили только его самые близкие[12] родственники. Единственное, что мне бросилось в глаза, – это его галстук.[13] Замечательная вещь, я вам скажу. Наверное, французский или итальянский. Где он мог его найти и зачем одел к своему уже далеко не новому чёрному костюму, мне непонятно. Но галстук был просто фантастический и он настолько удивил меня, что я никак не мог вспомнить, в каком году крестилась[14] Киевская Русь.

Эдуард Николаевич позвонил маме после экзамена. Эдуард Николаевич сказал, что я способный[15] мальчик, но «слабо знаю даты». Что верно, то верно – по датам я был слабоват. После этого мать вбежала ко мне в комнату, обняла[16] меня и заплакала. Я стал её успокаивать, а она, со слезами на глазах, грустно смотрела на меня. Мне было ужасно жаль её, и я чуть-чуть сам не заплакал. Но всё же сдержался и сказал, что на следующий год обязательно выучу, в каком году крестили Киевскую Русь.

– К тому же, – добавил я, – вспомни Дарвина, как плохо он начал и как хорошо кончил.

В ответ мама поцеловала меня и сказала:

– Ладно, Дарвин...

В школе я учился плохо, но её всегда поддерживала мысль[17], что все великие люди в детстве были двоечниками. Теперь же у неё не осталось никаких иллюзий.

Отцу я написал, что поступил в МГУ на физический факультет, и через неделю получил открытку с изображением антилопы бубалы.

Отец писал: «Поздравляю, старина! Честно говоря – не ожидал! Помнится, в школе ты не блистал ни по физике, ни по математике. Тем более приятно! С нетерпением ждём великих открытий. Папа».

Я положил открытку в стол, где у меня уже был целый зоопарк, и на этом дело о поступлении в институт было закрыто.

Почти два месяца я, как говорится, валял дурака[18]: целыми днями лежал на пляже в

Серебряном бору, читал детективы и до одурения слушал магнитофон. В школе у меня не было близких друзей. Те несколько приятелей, с которыми я иногда проводил время, или тоже поступали сейчас в институты, или уехали отдыхать. Поэтому единственным человеком, с которым я общался в то время, был Коля Базин. Его мать работала медсестрой в районной поликлинике, а отец – грузчиком[19] в овощном магазине. Все считали Колю «шпаной[20]». Но на самом деле он был неплохим парнем[21]. Мы играли в карты и иногда ходили на футбол. Коля научил меня играть в «секу» и «буру», а на стадионе мы вместе кричали изо всех сил: «От Москвы до Гималаев король воздуха – Дасаев!»

[…]

Прошли август и сентябрь. Пришла осень и в одну ночь сорвала с деревьев жёлтые листья и покрасила город в серый цвет. А мама в тот день сказала мне:

– Я думаю, Иван, ты уже отдохнул. Думаю, тебе пора подумать о работе.

Я был готов к такому разговору, и всё же именно в этот день он меня сильно расстроил[22]. Ведь, если говорить правду, я никогда не испытывал большого желания трудиться. Мне даже стало казаться, что я, наверное, принадлежу к тому типу людей, которые должны рождаться в семьях миллионеров. Поэтому самой лучшей для меня работой я считал работу грузчика в овощном магазине, где по протекции своего папаши уже работал Коля Базин. Однако, когда я сказал об этом маме, я встретил её абсолютное непонимание и узнал, что вообще моя дружба с Колей держит её в постоянном стрессе.

– Ты начал пить, – сказала она с драматическими интонациями в голосе.

– Что с того, если я раз в неделю выпью кружечку пивка? – возразил я. – Не забывай, что мне не пятнадцать лет.

– Да, ты, конечно, ужасно взрослый[23], но мне кажется, что ты со своим Базиным пьёшь уже не только пиво.

– Оставь Базина в покое. Он прекрасный парень.

– Я не считаю, что он хорошая компания для тебя, – твёрдо сказала мать. – Что касается работы, то я уже нашла тебе место.

– Надеюсь, не ниже директора магазина? – поинтересовался я.

– Почти. Курьер в редакции «Вопросов познания».

– С детства мечтал стать мальчиком на побегушках.

– В таком случае можешь считать, что твоя мечта сбывается.

Что я сказал на это? Не помню. Скорее всего, ничего принципиального. Я думаю так, потому

что уже на следующий день стал курьером в редакции научно-популярного журнала «Вопросы познания» и, когда вечером шёл домой и увидел во дворе Колю Базина, то сказал ему:

– Привет работникам торговли[24] от работников средств массовой информации!

Редакция журнала «Вопросы познания» была в небольшом трёхэтажном доме в пяти минутах ходьбы от метро «Пролетарская». Первый этаж здания занимала контора Госстраха, второй этаж был жилым, а на третьем находилась сама редакция.

Мое появление в редакции вызвало не меньший эффект, чем прибытие Марко Поло ко двору хана Хубилая[25]. Думаю, что сотрудники журнала рассматривали меня с бóльшим интересом, чем монгольский хан заезжего итальянца. Из самого дальнего кабинета вышел толстый мужчина в массивных очках и, подойдя ко мне, сказал, уставя палец в мою грудь[26]:

– Это наш новый курьер, товарищи. По протекции Аиды Борисовны. Я тотчас понял, что речь идёт о маминой подруге Крапивиной, и что это она нашла для меня эту престижную работу. Пожилой мужчина посмотрел вокруг и все сразу заговорили хором:

– О! Да, да! Аида Борисовна! Очень хорошо!

– Мирошников, если не ошибаюсь? – спросил меня мне толстяк.

– Да, – ответил я.

– А звать как?

– Иван.

– Вот! – громко сказал толстяк. – Прошу любить и жаловать. Меня зовут Олег Петрович Чащин. Я главный редактор этой организации и атаман сих сорвиголов[27].

– Ну вот, знакомство состоялось. Прошу всех вернуться на свои места.

После этого работники журнала разошлись по кабинетам, а меня позвал за собой заместитель[28] главного редактора. В своем кабинете Андрей Михайлович (так он представился) дал мне анкету[29] и чистый лист бумаги для автобиографии, а сам, усевшись за стол, стал читать какую-то книгу.

Я присел за другой стол, у окна решил для начала написать автобиографию. Тут ещё за окном пошёл мелкий, скучный дождь, и на подоконник прилетели две птички[30]. Я смотрел на птичек и ещё больше грустил. Время шло, а я никак не мог начать свою автобиографию. Неожиданно я написал первую фразу:

«Я родился в провинции Лангедок в 1668-м году».

Немного подумав, я написал еще:

«Мой род принадлежит к одним из самых славных и древних семейств королевства. Мой отец граф де Бриссак воевал в Голландии в полку г-на Лаваля и был ранен копьём при осаде Монферрата, на стенах которого он первым водрузил королевское знамя. До 17 лет я жил в родовом замке[31], где, благодаря заботам моей матушки баронессы де Монжу, был прилично воспитан и получил изрядное образование. Ныне, расставшись со своими дорогими родителями, дабы послужить отечеству на поле брани, прошу зачислить меня в роту черных гвардейцев его величества».

Написав эту галиматью, я взял анкету и быстро заполнил ее соответственно своей красочной биографии. Перечитав потом всё вместе, я не удержался и так громко рассмеялся, что Андрей Михайлович вспомнил обо мне.

– Ты чего? – спросил он, прервав чтение. – Написал, что ли?

– Ага, – кивнул я в ответ.

– Ну-ка, дай посмотреть.

Андрей Михайлович взял мои документы и долго читал их, как будто переводил с иностранного языка. Надо сказать, что выражение его физиономии абсолютно не изменилось, из-за чего моя собственная улыбка показалась мне такой же глупой[32], как и вся моя автобиография. Андрей Михайлович ничего не сказал. Он достал из стола чистые формуляры, передал их мне и продолжил чтение своей книги.

Я начал свою профессиональную карьеру: разносил по редакции письма и рукописи, ездил с заданиями по городу для чего мне был выдан проездной билет[33], а также по просьбе сотрудников журнала бегал через дорогу в киоск за пивом и сигаретами или ходил в магазин, чтобы купить «вкусненького» к чаю.

Моими услугами пользовался[34] весь журнал. С утра до вечера в редакции слышалось: «Иван!» «Где Иван?» «Вы не видели курьера? Когда он придёт, пускай немедленно зайдёт к нам!      » Я начал чувствовать себя незаменимым[35]. Стал капризничать.

Однажды (я проработал уже месяца полтора) завотделом информации Макаров сказал мне:

– Вот тебе рукопись[36], Иван. Отвези её профессору Кузнецову. Адрес на конверте.

И вручил мне большой толстый конверт. Я прочитал адрес и отправился в путь.

Профессор жил на Тверском бульваре. В метро я доехал до Арбатской площади. Здесь мне надо было пересесть на троллейбус. Мимоходом я бросил взгляд в сторону кинотеатра «Художественный». Реклама предлагала посмотреть новый приключенческий[37] фильм. Я взглянул на часы – половина третьего. Подумал

немного и решил, что профессор не лишится Нобелевской премии, если получит свою рукопись на два часа позже. Я купил билет и зашёл в кинотеатр.

Фильм был довольно слабый, но актриса мне очень понравилась. Такая женщина!.. Потом в троллейбусе я живо представил себе в какой ситуации я мог бы познакомиться с ней...

Короче говоря, я проехал нужную остановку. Пока я возвращался назад, пока ходил туда-сюда по Тверскому и искал профессорский дом, прошло не менее сорока минут, и только в шесть часов вечера я позвонил в дверь квартиры Кузнецова.

Мне открыли. Я увидел перед собой высокую девушку в джинсах и бежевом свитере. У нее были тёмные каштановые волосы и красивые карие глаза.

– Вам кого? – спросила она.

– Вас, – ответил я. Девушка удивилась.

– Меня?

– Да. Я учился с вами в первом классе и с тех пор люблю вас.

– В первом классе я училась в Польше, – растерянно пролепетала девушка. – Папа работал там.

– А-а... – Я был разочарован. – Значит, это не вы. Я первый класс закончил в Аргентине.

Девушка надула губы и хотела закрыть дверь.

– А вообще-то я к Семёну Петровичу, – поспешно сказал я. – Привёз ему рукопись из редакции.

Девушка подозрительно оглядела меня и мою папку, потом крикнула куда-то в прихожую огромной квартиры:

– Папа, папа, тут какой-то сумасшедший[38] мальчик говорит, что он привёз тебе из редакции рукопись!

С минуту ответом ей была гробовая тишина. Потом мощный, густой бас долетел до нас из глубины коридора.

– Зови этого проходимца[39] ко мне. Я уже три часа его жду.

– Снимайте ботинки[40] и идите, – сказала девушка.

– Я не проходимец! – крикнул я.

– Нахал! – взревел бас.

– Носки[41] тоже снимать? – спросил я девушку.

– Носки можете оставить.

– Дайте тапочки[42]...

– Вон стоят ...

Я прошёл за ней в большую комнату. За массивным письменным столом, заваленным книгами, бумагами, сидел ещё нестарый мужчина в широком красном халате, накинутом поверх спортивного костюма. Лицо у него в тот момент было довольно суровое[43]. Я сразу понял, что это и есть сам профессор Кузнецов.

– Кто это? – спросил он с удивлением.

– Курьер, – ответил я.

– Именно что курьер. Не граф Люксембург, не герцог де Гиз, а курьер! – завопил профессор. – По вашей милости, господин курьер, я потерял[44] три часа драгоценного времени!

– Вот ваша рукопись, – сказал я спокойно и дал ему конверт.

– Катя, – обратился профессор к девушке, – проводи молодого человека до дверей.

Я покачал головой.

– Спасибо, я не тороплюсь[45]. Я, знаете, с удовольствием выпил бы чашку чаю и съел бутерброд с маслом и сыром.

При этих словах профессор чуть не умер от возмущения[46]. Он покраснел и так надулся, что казалось, сейчас полетит, как шар братьев Монгольфье. Даже не знаю, как он смог остаться на земле.

– Я же говорила, что он сумасшедший, – сказала Катя отцу.

– Что здесь сумасшедшего? – удивился я. – Я же не прошу у вас сто рублей. («И на том спасибо», – проворчал профессор). Человек голоден и просит стакан чаю и кусок хлеба. Что здесь такого?

На этот мой вопрос они явно не знали, что ответить.

– Да, вообще-то... – промямлила Катя и вопросительно посмотрела на отца, который уже совсем собрался улететь ввысь.

– Проводи молодого человека на кухню, – сказал профессор, сдержавшись. – И дай ему стакан чаю и бутерброд.

Мы с Катей пошли на кухню. Я сел за стол, накрытый клеёнкой с видами столиц мира, а Катя наполнила чайник водой и поставила на плиту. После этого она села напротив меня. Мы посмотрели друг другу в глаза, и я улыбнулся, но у Кати лицо оставалось суровым.

– Чего смотришь: давно не виделись? – спросил я.

– Ты симулянт или у тебя действительно не в порядке с мозгами? – сказала она.

– Да нет, мозги у меня в норме.

– А кажется, что не совсем...

Катя взяла в шкафу маленький фарфоровый чайник, бросила в него две ложки чая и налила кипятку. Она вынула из холодильника масло, сыр и колбасу; поставила на стол хлеб и пачку печенья.

– Лимона нет? – поинтересовался я.

Катя вздохнула и полезла в холодильник за лимоном.

Я сделал себе большой бутерброд с маслом и сыром, а сверху еще положил колбасы.

– Тебе в детстве не говорили, что чавкать[47]

некультурно? – сказала Катя.

– Говорили.

– А зачем чавкаешь?

– Хочется...

Катя рассмеялась.

– А ты ничего[48]... – сказал я.

– В смысле?

– Ну знаешь, так у тебя всё в порядке... и фигура... Ноги там...

– Это – в маму. У нее тоже ноги длинные.

– Интересно было бы посмотреть.

– Она попозже будет.

– Знаешь, – сказал я, – у нас в школе учительница физики была... Такая симпатичная... Знаешь, такая фигура и грудь... В общем, интересная женщина.

– Ну и что? – Катя была заинтригована. Она прикрыла дверь и подсела ко мне ближе.

– Да ничего. Один раз она нам фильм показывала... Понимаешь, такой учебный фильм про всякие физические явления. А я сидел один, на задней парте... Она села рядом и... В общем, света не было, а она рядом... Я так разволновался и потихоньку к ней придвинулся[49]...

– А она? – спросила Катя шепотом.

– Она сидит, как будто ничего не происходит. Короче, я ее обнял потихоньку...

– А она?

Я сделал себе новый бутерброд и продолжал:

– Она ничего. Сидит – смотрит. Ну, потом, после урока, она говорит: «Мирошников, – это моя фамилия, – зайди ко мне после уроков».

– А ты?

– Ну, я и зашёл... Она была в кабинете химии. Я ей говорю: «Надежда Ивановна, я без ума от вас.[50] « А она: «Мирошников, я – твоя... « И как бросится мне на шею! Ты понимаешь?

– А ты не врёшь[51]?

Я увидел, какое уважение[52] засветилось в Катиных глазах.

– Почему это я буду тебе врать?

– И что же потом было?

Я такого вопроса от неё не ожидал.

– Да потом она в другую школу перешла, – уклончиво ответил я. – В общем, как-то всё на том закончилось.

Катя мечтательно вздохнула.

– Да, – сказала она. – Я тоже была влюблена в одного учителя. Он у нас в десятом классе литературу и русский преподавал. Такой красивый был мужчина ... с усами...

– Ну и как ты?

– Да никак. Я один раз ему письмо написала, но он не ответил. Ты же понимаешь, я девушка, не могла же я второй раз ему писать...

– Это конечно, – согласился я. Мы замолчали. Мой